New
Czech
Step
by
Step

Lída Holá

activity book

AKROPOLIS

New Czech Step by Step

PhDr. Lída Holá

Lektorovali:
Susan Kresin, University of California, Los Angeles
Marie Poláčková, Ústav jazykové a odborné přípravy, Karlova Univerzita, Praha
Racheal Reaves
Veronika Sailerová – redakce a produkce

Vydal Filip Tomáš – Akropolis
Severozápadní IV 16/433, 141 00 Praha 41
www.akropolis.info
v roce 2012 jako svoji 240. publikaci

Reedice 4., opraveného vydání (2011)
260 stran (učebnice) a 128 stran (cvičebnice)

Tisk: Těšínská tiskárna, a. s. Štefánikova 2, 737 36 Český Těšín
Tištěno na recyklovaném papíře. Více informací na www.akropolis.info/recyklujeme

Bližší informace: www.czechstepbystep.cz

ISBN 978-80-7470-019-4

Lekce 1

1. Doplňte slova z tabulky.

z Francie	ze Španělska	z Německa	z Itálie	z Ruska	z Turecka	z Británie

1. Jmenuju se John.
Jsem _____

2. Jmenuju se Hans.
Jsem _____

3. Jmenuju se Igor.
Jsem _____

4. Jmenuju se Edith.
Jsem _____

5. Jmenuju se Patricia.
Jsem _____

6. Jmenuju se Laura.
Jsem _____

7. Jmenuju se Omar.
Jsem _____

2. Řekněte, co je to. Používejte slova z tabulky.

Co je to? To je...

auto	banka	hotel	supermarket	autobus
tramvaj	taxík	metro	parkoviště	

1.

2.

3.

4.

5.

6.

3. Spojte čísla a písmena.

1. Ahoj.
2. Dobrý den.
3. Jak se jmenujete?
4. Odkud jste?
5. Co děláte?
6. Děkuju.
7. Na shledanou.

A. Prosím.
B. Na shledanou.
C. Jsem z Anglie.
D. Čau.
E. Jmenuju se John Brown.
F. Dobrý den.
G. Jsem profesor.

4. Poslouchejte dialogy z učebnice. Doplňte text.

1.
Ahoj.

_____

Já jsem Tom. A ty?
Já _____ Alice.
_____ *jsi?*

Jsem z Anglie.
Co děláš?

_____ *studentka.*

Au!
Promiň.

_____

Díky.

_____

Měj se hezky. Čau.
Ty taky. Ahoj.

2.
Dobrý den.

_____

Já _____ Jana Bílá. A vy?
Já jsem David Brott.
Těší mě.
Mě taky.

_____ *jste?*

Jsem z Austrálie.
Co děláte?
Jsem profesor.
Jé!
Promiňte.

_____

Děkuju.
Prosím.
Mějte se hezky.

_____

Na shledanou.

_____

5. Doplňte chybějící výrazy

NEFORMÁLNÍ

1. Ahoj. Čau.

2. _____

3. Odkud jsi?

4. Jak se máš?

5. _____

6. Co děláš?

7. _____

FORMÁLNÍ

_____

Jak se jmenujete?

_____

_____

Kde bydlíte?

_____

Na shledanou!

6. Najděte 8 osobních zájmen (*já, ty…*)

W	Z	P	Ř	D	B	Q	O	S	Q	N	Č	Z	O	CH	Ď	T	O
T	F	O	T	Y	S	W	N	U	L	U	Q	T	N	W	Z	S	R
G	N	M	W	C	Š	X	I	N	R	M	Y	I	Č	P	P	E	U
V	Ř	O	N	A	G	M	X	B	T	V	X	P	X	R	A	W	P
Y	K	Ž	X	H	D	Ř	Ž	M	C	Z	Š	Q	H	J	Á	P	G

7. Spojte A a B.

A

	já			ty
on		ona	to	
my		vy		oni

B

jsme		jsi		jsem
	je	jsou	jste	

8. Řekněte jako otázku.

1. To je káva?
2. To je banán?
3. To je majonéza?
4. Alice je z Brazílie?
5. Tom je z Francie?
6. Ty jsi Alice?
7. Ty jsi profesor?
8. Tom a Alice jsou z Austrálie?

9. Řekněte negativně.

1. To je káva.
2. To je banán.
3. To je majonéza.
4. Alice je z Brazílie.
5. Tom je z Francie.
6. Ty jsi studentka.
7. Já jsem student.
8. Tom a Alice jsou z Austrálie.

10. Napište negativně.

ty jsi _____

on je _____

oni jsou _____

vy jste _____

my jsme _____

já jsem _____

ona je _____

to je _____

11. Doplňte k obrázkům reakce z tabulky.

To je šok.	To je komedie.	To je škoda.	To je všechno.
To je tragedie.	To je nesmysl.	To je chaos.	To je katastrofa.

1.

2.

3.

4.

5.

6.

12. Počítejte. Jaké je další číslo?

2, 4, 6	_____	20
3, 6, 9	_____	30
7, 14, 21	_____	70
8, 16, 24	_____	80
11, 22, 33	_____	110
10, 20, 30	_____	100

13. Spojte A a B.

A	B
12	šest
19	dvacet pět
20	osmnáct
25	deset
2	devatenáct
18	dvacet
6	patnáct
9	dva
10	dvanáct
14	devět
15	čtrnáct

14. Počítejte.

Kolik je...

5 + 6 =	4 + 6 =	12 – 7 =	12 – 4 =
7 – 4 =	8 – 3 =	9 + 6 =	19 – 3 =
3 + 5 =	2 + 2 =	7 + 6 =	13 + 5 =
9 – 5 =	9 – 8 =	18 – 8 =	15 + 4 =

15. Najděte 10 čísel. Napište je.

A	G	X	Ř	Y	F	D	V	A	T	I	O	S	M	X
S	E	D	M	Z	J	S	J	M	G	Y	Š	Z	O	Ř
T	X	F	W	H	E	Š	D	N	W	D	E	S	E	T
E	D	Ř	Q	G	D	Č	V	X	Q	I	X	N	Č	X
O	E	M	Š	R	E	Ď	A	Ž	F	Z	T	B	W	D
U	N	N	E	E	N	W	C	G	G	G	Ř	T	Q	B
P	Ě	O	S	X	Á	R	E	O	J	H	I	R	F	Š
D	T	L	T	Q	C	H	T	U	O	L	Y	U	P	Ž
Č	Q	I	O	W	T	V	X	I	X	Č	P	Ě	T	G

16. Kolik to stojí?

Uzený Eidam
100 g, pultový prodej
~~12,90~~
9⁹⁰

Jogurt Yoplait Košík
různé druhy
balení: 380 g
cena za 100 g: 3,66 Kč

13,⁹⁰
~~18,90~~

~~99,90~~
79,⁹⁰

Hunters Creek 0,75 l
red nebo white
Cena za 1 l je 106,53 Kč.

Paprika zelená
1 kg, vel. 70 mm+,
Holandsko
~~54,90~~
44⁹⁰

Trvanlivé mléko polotučné
3,5 %
balení 1 l

14,⁹⁰

Šunkový salám
6⁹⁰

Radegast klasik
světlý, výčepní
balení: 0,5 l
cena za 1 l: 9 Kč

4,⁵⁰
~~5,90~~
+ záloha na lahev

Braník světlé výčepní 0,5 l
Cena za 1 l je 12,40 Kč.
6,²⁰

Houska pletená 250 g
8,⁹⁰**/ks**

Knedlík houskový
600 g
~~14,90~~
9⁹⁰

17. Co Češi říkají, když začínají jíst a pít? Vyluštěte křížovku.

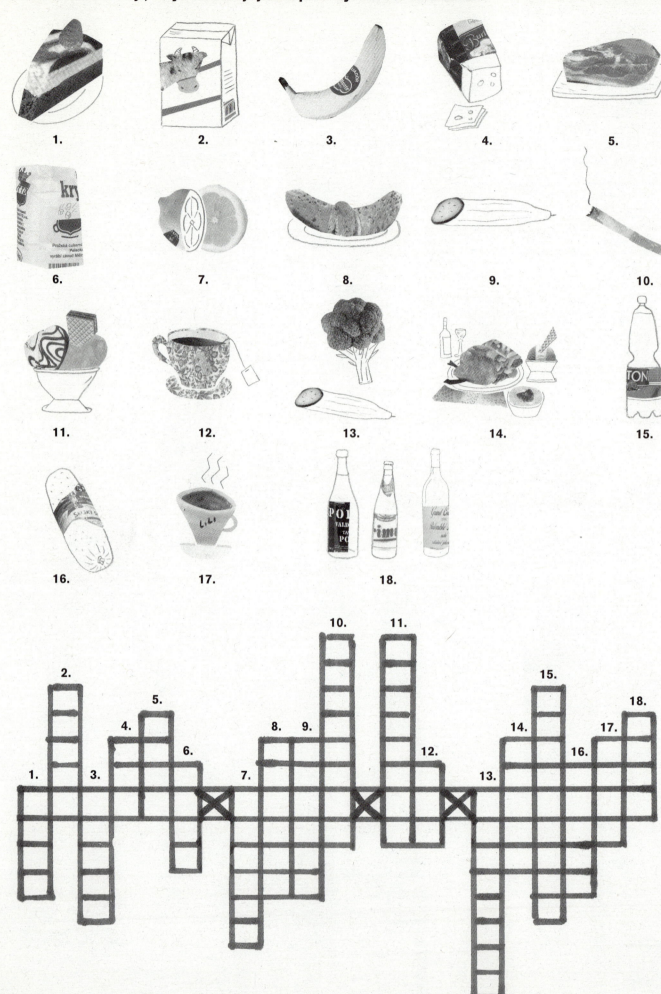

Lekce 2

1. Doplňte maskulinum / femininum.

asistent – _____

kamarád – _____

učitel – _____

student – _____

manžel – _____

kolega – _____

profesorka – _____

prezidentka – _____

premiérka – _____

milionářka – _____

vegetariánka – _____

žena – _____

2. Doplňte sloveso *být*.

1. Petr _____ kamarád.

2. Vy _____ Američan?

3. Já _____ sportovec.

4. Václav Havel _____ politik.

5. Madonna _____ zpěvačka.

6. Ty _____ herečka?

7. Vy _____ Angličan?

8. Pan Brown _____ profesor.

9. Tom a Alice _____ studenti.

10. My _____ studenti.

11. Vy _____ sekretářka?

12. Ty _____ manažer?

3. Jaký rod (maskulinum, femininum nebo neutrum) mají tahle slova?

1.

2.

3.

4.

5.

6.

7.

8.

4. Jaký rod (maskulinum, femininum nebo neutrum) mají tahle internacionální slova?

1. fax	7. mobil	13. matematika	19. čokoláda	25. ekonomika
2. fyzika	8. galerie	14. divadlo	20. instituce	26. filozofie
3. auto	9. koncepce	15. telefon	21. video	27. filozof
4. drogerie	10. kontakt	16. kino	22. demokracie	28. filozofka
5. televize	11. organizace	17. firma	23. konflikt	29. metro
6. plán	12. situace	18. opozice	24. supermarket	30. politika

5. Doplňte *ten, ta, to / tenhle, tahle, tohle.*

1. _____ škola
2. _____ pivo
3. _____ optimista
4. _____ optimistka
5. _____ člověk

6. _____ majonéza
7. _____ manažer
8. _____ auto
9. _____ vegetarián
10. _____ máslo

11. _____ muž
12. _____ žena
13. _____ rádio
14. _____ televize
15. _____ drogerie

6. Čí je to? Používejte *jeho / její.*

Soňa je vegetariánka, ale není abstinentka. Daniel není vegetarián, ale je abstinent. Čí je to jídlo a pití?
Například: Pivo je **její**. Salám je **jeho**.

7. Čí je to?

Například: (já) – banán: můj banán

1. (já) _____ minerálka
2. (ty) _____ kamarád
3. (on) _____ čaj
4. (ona) _____ kolegyně
5. (my) _____ autobus
6. (vy) _____ šéf
7. (oni) _____ ředitelka
8. (ty) _____ auto
9. (oni) _____ asistentka

10. (já) _____ učitelka
11. (on) _____ šéfka
12. (ty) _____ zmrzlina
13. (ona) _____ chleba
14. (my) _____ učitel
15. (oni) _____ limonáda
16. (já) _____ máslo
17. (vy) _____ kamarádka
18. (ty) _____ salát

19. (vy) _____ prezident
20. (ty) _____ maso
21. (oni) _____ rádio
22. (já) _____ partnerka
23. (ona) _____ partner
24. (my) _____ banán
25. (on) _____ víno
26. (ty) _____ sekretářka
27. (my) _____ asistent

8. Pracujte v páru. Představte si, že jste manžel a manželka, kteří se rozvádějí. Rozdělte si majetek. Používejte *můj, moje / tvůj, tvoje.*

Kolik to stojí? Čí je to?

9. Spojte opozita.

chudý	veselý		starý		slabý	smutný	levný
malý	krásný	silný		nový	bohatý	velký	mladý
dobrý	drahý		hubený		tlustý	špatný	ošklivý

10. Jaký je ten dům? A jaký je asi jeho majitel?

11. Napište opozitum.

1. malý dům – _____
2. starý člověk – _____
3. veselý klaun – _____
4. studená káva – _____
5. levné auto – _____
6. dobrý kolega – _____
7. mladá žena – _____

8. těžký problém – _____
9. lehká gramatika – _____
10. hubený muž – _____
11. velké pivo – _____
12. horký čaj – _____
13. staré auto – _____
14. nemocné dítě – _____

12. Dělejte adjektiva. Napište je.

vese-	stude-	kvalit-	energic-	moder-	-ký
sil-	dynamic-	hor-	lev-	hez-	-ný
leh-	abstrakt-	smut-	krás-	vel-	-ní
hube-	těž-	ma-	nemoc-		-lý

13. Diskutujte, jaké jídlo a pití je nejlepší.

Co je nejlepší?

Nejlepší džus je…	pomerančový	tomatový	ananasový	hruškový	jablečný
Nejlepší dort je…	čokoládový	šlehačkový	kokosový	ovocný	sýrový
Nejlepší zmrzlina je…	vanilková	pistáciová	citronová	kávová	čokoládová
Nejlepší káva je…	černá	bílá	turecká	vídeňská	irská
Nejlepší víno je…	červené	bílé	růžové	šampaňské	suché
Nejlepší pivo je…	černé	světlé	studené	teplé	nealkoholické

14. Řekněte, kdo je kdo v Davidově rodině.
Kdo je mladý, starý, smutný, veselý, hezký...?

David a jeho rodina

Adéla + Otto *Jarmila + František*

Jaroslav + Irena

Marek + Karolína *DAVID* *Filip + Barbora*

Eliška *Matěj*

To je David Vlasák. Tady je jeho rodina.

1. Adéla je jeho _____	6. Marek _____
2. František je jeho _____	7. Filip _____
3. Irena _____	8. Barbora _____
4. Jaroslav _____	9. Eliška _____ neteř
5. Karolína _____	10. Matěj _____ synovec.

15. Spojte „páry".

Například: matka – otec

matka	sestra		dědeček		otec
paní	vnučka	babička	pán	bratr	vnuk
sestřenice	holka		bratranec		kluk

16. Doplňte posesivní zájmena.

Například: To je babička a _____ vnučka. To je babička a **její** vnučka.

1. To je dědeček a _____ auto.

2. To je dcera a _____ kamarádka.

3. To jsou pan a paní Novákovi a _____ dcera.

4. To jsme my a _____ syn.

5. To je kamarádka a _____ manžel.

6. To je kamarád a _____ babička.

7. To jsou Irena a Petr a _____ dědeček.

8. To je kamarádka a _____ maminka.

9. To jsi ty a _____ tatínek.

17. Dokončete věty.

Dana Bartáková a její rodina

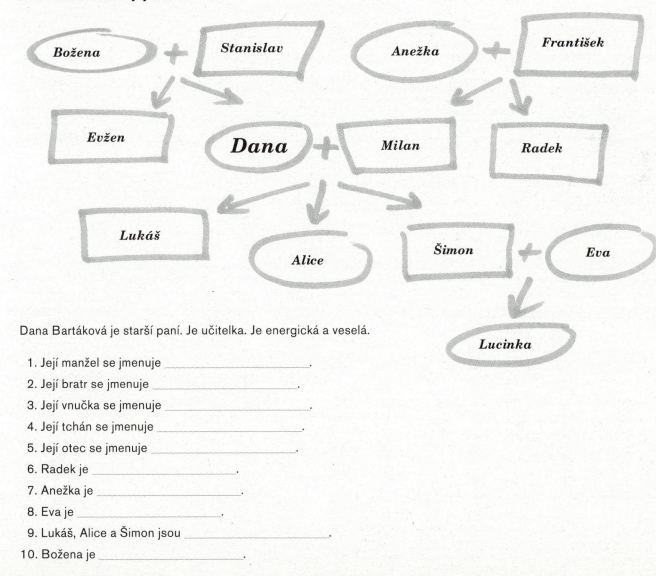

Dana Bartáková je starší paní. Je učitelka. Je energická a veselá.

1. Její manžel se jmenuje _____.

2. Její bratr se jmenuje _____.

3. Její vnučka se jmenuje _____.

4. Její tchán se jmenuje _____.

5. Její otec se jmenuje _____.

6. Radek je _____.

7. Anežka je _____.

8. Eva je _____.

9. Lukáš, Alice a Šimon jsou _____.

10. Božena je _____.

18. Dělejte dialog. Spojte čísla a písmena.

1. Dobrý den.
2. Jak se máte?
3. Ujde to. Kdo je ta sympatická slečna?
4. Je Američanka?
5. A kdo je ten mladý muž?
6. Je taky Američan?

A: To je nová studentka.
B: To je taky nový student.
C: Ano, je Američanka.
D: Děkuju, dobře. A vy?
E: Ne, je Kanaďan.
F: Dobrý den.

19. Dělejte otázky na zvýrazněná slova. Používejte slova *kdo, co, jaký* a *čí*.

Například: To je **můj** bratr.: Čí je to bratr? – **Můj**.

1. To je **krásná** kniha. – _____

2. To je **čaj**. – _____

3. To je můj **kamarád**. – _____

4. To je **okurka**. – _____

5. Myslím, že tahle tužka je **jeho**. – _____

6. **Šéf** je tady. – _____

7. Ta tvoje kamarádka je opravdu **strašná**. – _____

8. Tenhle problém je **komplikovaný**. – _____

20. Analyzujte text. Podtrhněte správnou formu – maskulinum nebo femininum.

1. Josef Novák je Čech. Je můj *kamarád / kamarádka. Jeho / její* manželka se jmenuje Františka Nováková. Josef je starý *pán / paní*, ale je *zdravý / zdravá* a *energický / energická. Jeho / její* manželka paní Nováková je taky stará *pán / paní*. Je moc *sympatický / sympatická*, ale bohužel je *nemocný / nemocná*. To je škoda.

2. Carmen Bartáková je *fotograf / fotografka*. Je *můj / moje* kamarádka. Je *Američan / Američanka*, ale je v České republice. Její *manžel / manželka* se jmenuje David Barták a je *Čech / Češka*. Je taky *fotograf / fotografka*. Carmen je moc *hezký / hezká* a *veselý / veselá*. Je *dobrý kamarád / dobrá kamarádka*.

3. Pan Richard Hanák je *ředitel / ředitelka*. Je moc *bohatý / bohatá*. Myslím, že je *milionář / milionářka. Jeho / její* manželka paní Marie Hanáková je moc *krásný / krásná*. Richard není můj *kolega / kolegyně* ani *kamarád / kamarádka*. Je *můj / moje* šéf.

4. Alena Bartošová je *můj / moje* kamarádka. Je *Čech / Češka* a je *učitel / učitelka*. Je veselá a optimistická. Není stará ani mladá. *Jeho / její* manžel se jmenuje Ivan Bartoš. Je taky *můj / moje* kamarád.

5. Jmenuju se Filip Černý. *Můj / moje* maminka se jmenuje Veronika a je *manažer / manažerka. Můj / moje* tatínek se jmenuje Jan Černý a je *profesor / profesorka. Můj / moje* starší sestra se jmenuje Kristýna. *Jeho / její* manžel se jmenuje David a je *učitel / učitelka. Můj / moje* mladší bratr se jmenuje Robert. *Jeho / její* pes se jmenuje Ťapka.

21. Napište text o vaší rodině

_____

_____

_____

_____

_____

Lekce 3

1. Kolik je hodin?

1.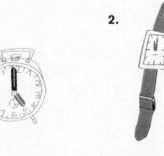

2.

3.

4.

5.

6.

7.

8.

9.

10.

_____ _____ _____ _____ _____

_____ _____ _____ _____ _____

2. Dělejte věty.
Například: V pátek je dobrý koncert.

Ve čtvrtek	populární	lekce.
V pondělí	dobrý	film.
V neděli	příští	mítink.
V úterý	krásný	konference.
Ve středu	velká	oběd.
V sobotu	zajímavý	fotbal.
V pátek	česká	detektivka.

3. Napište kdy.
Například: dopoledne – dopoledne, pondělí – v pondělí...

1. sobota – _____
2. únor – _____
3. víkend – _____
4. jaro – _____
5. rok 1999 – _____
6. středa – _____
7. ráno – _____

8. únor – _____
9. srpen – _____
10. březen – _____
11. večer – _____
12. noc – _____
13. zima – _____
14. poledne – _____

15. odpoledne – _____
16. podzim – _____
17. úterý – _____
18. neděle – _____
19. září – _____
20. čtvrtek – _____
21. dopoledne – _____

4. Pracujte v páru. Hledejte informace z diáře. (Diář B je na straně 123).

Diář A

Kdy je balet, volejbal, oběd, konzultace, jóga, mítink, party a prezentace?

5. Podtrhněte správný tvar slovesa.

1. Petr *děláš / děláme / dělá* moc dobrý guláš.
2. Já v sobotu a v neděli *spíš / spí / spím* do 11 hodin.
3. Vy *uklízíte / uklízí / uklízím* v pátek nebo v sobotu?
4. Jan *neodpočívá / neodpočívám / neodpočíváme*, protože je šéf.
5. V restauraci *vařím / vaříte / vaří* dobré jídlo.
6. My o víkendu *obědváme / obědváte / obědvají* v restauraci.

6. Doplňte všechny tvary.

DĚLAT		OBĚDVAT	ODPOČÍVAT		SPÁT
	vařím			uklízím	
děláš					
		obědvá			
	vaříme				
		obědváte			spíte
dělají				uklízí	

7. Spojte čísla a písmena.

1. V kolik hodin vstáváš?
2. Uklízíte často?
3. Rozumíš česky?
4. Odpočíváš o víkendu?
5. Snídáš ráno?
6. Vaříš v neděli dobré jídlo?
7. Proč jsi večer unavený?
8. V kolik hodin je lekce?

A. Ne, nesnídám. To není zdravé.
B. Lekce je v 8.45.
C. Rozumím dobře, ale moc nemluvím.
D. Nevařím, protože obědvám v restauraci.
E. Protože celý den uklízím.
F. Ne. Uklízíme jenom v sobotu.
G. Vstávám v 5 hodin ráno.
H. Ano. O víkendu odpočívám a spím.

8. Seřaďte

:-(Když mám těžký den...

_____ Dopoledne pracuju a telefonuju.

_____ „Obědvám" kávu a tři cigarety.

_____ Večer uklízím a vařím.

_____ Odpoledne telefonuju a pracuju.

_____ Jdu spát o půlnoci.

_____ Ráno nesnídám.

_____ Večeřím v 10 večer .

1. Vstávám v 6 ráno.

:-) Když mám krásný den...

_____ Večer jdu na koncert.

_____ Dopoledne hraju tenis.

_____ Obědvám pizzu a lehký salát.

1. Vstávám v 10 ráno.

_____ Odpoledne hraju karty.

_____ Nejdu spát a tancuju do rána.

_____ Snídám omeletu, kávu a džus.

_____ Večeřím v luxusní restauraci.

9. Doplňte všechny tvary sloves.

já	pracuju	telefonuju	hraju	vstávám	obědvám	večeřím
ty				vstáváš		
on, ona, to		telefonuje				
my			hrajeme			
vy	pracujete					večeříte
oni					obědvají	

10. Organizujte slovesa z tabulky do 4 skupin podle konjugace.

studovat	sportovat	mluvit	lyžovat	nakupovat
pracovat	odpočívat	spát	jíst	vařit
dělat	hrát	psát	snídat	číst
vstávat rozumět	telefonovat	pít	tancovat	uklízet

-á

_____

_____

_____

_____

_____

_____

-í

_____

_____

_____

_____

_____

_____

-e (ovat)

_____

_____

_____

_____

_____

_____

-e

_____

_____

_____

_____

_____

_____

11. Analyzujte slovesa.
Například: pracuju – já

1. děláme – _____	9. hraju – _____	17. rozumíme – _____
2. vstáváš – _____	10. píše – _____	18. odpočíváš – _____
3. uklízíme – _____	11. pracujete – _____	19. plavou – _____
4. lyžujete – _____	12. dělám – _____	20. cestujeme – _____
5. vaří – _____	13. jedu – _____	21. tancuju – _____
6. dělají – _____	14. spíme – _____	22. nakupuješ – _____
7. telefonuju – _____	15. studuješ – _____	23. odpočíváme – _____
8. obědvá – _____	16. lyžuje – _____	24. spí – _____

12. Dělejte věty.

1. Eva nemocná dneska je a spí

_____

2. sedm vstávám v manželka moje v hodin šest ale já vstává

_____

3. restauraci maminka v dneska nevaří protože obědváme

_____

4. koncert šest dneska v večer je hodin

_____

5. můj nesnídá kamarád kolegyně Robert Hana ale moje snídá

_____

13. Napište, kdy co děláte.

v zimě	plavat	O víkendu nepracuju.
o víkendu	sportovat	
ráno	hrát tenis	
každý den	uklízet	
v létě	pracovat na počítači	
večer	číst	
celý den	lyžovat	
často	dívat se na televizi	
v noci	telefonovat	
dopoledne	vařit	

14. Dělejte otázky a reagujte podle modelu.
Například: Johne, rád cestuješ? – Ano, rád cestuju. – John rád cestuje.

hrát scrabble	číst	lyžovat	hrát tenis
nakupovat v supermarketu	dívat se na televizi	vařit	
psát dopisy	spát	vstávat v 5 hodin ráno	plavat
fotografovat	uklízet	tancovat	hrát karty

15. Řekněte, co Pavla a Petra rády /nerady dělají.

Petra a Pavla jsou sestry. Petra je ráda doma. Pavla je ráda venku. Co rády dělají?

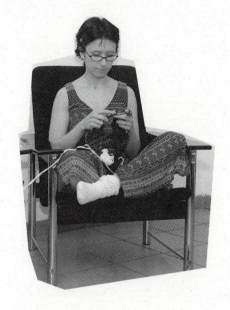

Petra

hrát tenis

spát   číst

hrát golf

plavat   lyžovat

hrát karty

dívat se na televizi

psát dopisy   cestovat

vařit

hrát scrabble

uklízet

Pavla

16. Slovesa v závorce dejte do správného tvaru.

1. O víkendu musím _____ (studuje).

2. Můžeš zítra _____ (hraješ) squash?

3. Umíte dobře _____ (plaveme)?

4. Příští týden nemůžu _____ (jdu) do školy.

5. Dneska večer můžu _____ (večeří) v restauraci!

6. Umíš _____ (plavu) a _____ (lyžuju)?

7. Dopoledne musíš _____ (píšu) e-mail do Anglie!

8. Odpoledne můžeme _____ (odpočíváme).

9. Umíte _____ (vaříte) dobré jídlo?

10. Dneska odpoledne nemůžu _____ (jdu) do kina, protože musím _____ (pracuju).

17. Dělejte věty.

1. v nepracuju neděli v pracovat den celý sobotu musím protože

_____

2. rádi zimě v plaveme a rádi v létě lyžujeme

_____

3. jídlo v odpoledne týden nakupuju a pití pátek každý

_____

4. volejbal nelyžuje moje dobře sestra moc hraje ale a basketbal

_____

18. Dokončete věty. Používejte adjektiva z tabulky. Diskutujte.

dobré	těžké	nezdravé	lehké	zdravé
špatné	zajímavé	nudné	smutné	

1. Vstávat v 5 hodin ráno je _____

2. Studovat v noci je _____

3. Lyžovat celý den je _____

4. Plavat v zimě je _____

5. Spát odpoledne je _____

6. Pracovat celý den na počítači je _____

7. Nesnídat je _____

8. Uklízet celý byt je _____

19. Dělejte kvíz.

Umíte odpočívat?

1. Kolik hodin každý den pracujete?
a) Víc než 12 hodin.
b) 10 hodin.
c) Míň než 8 hodin.

2. Co obvykle děláte o víkendu?
a) Odpočívám.
b) Uklízím a vařím.
c) Pracuju na počítači.

3. Co často čtete?
a) Detektivky a romány.
b) Pracovní materiály.
c) Noviny.

4. Co obvykle děláte večer?
a) Pracuju.
b) Dívám se na televizi nebo čtu.
c) Jsem s kamarády.

5. Kdy vstáváte?
a) V 6 ráno.
b) V 7 ráno.
c) V 8 ráno.

6. Jak často sportujete?
a) Jednou za týden.
b) Jednou za měsíc.
c) Jenom v létě.

7. Jak často pijete kávu?
a) Celý den.
b) Ráno a dopoledne.
c) Nepiju kávu.

8. Jak často jste nemocný/á?
a) Každý měsíc.
b) Nejsem moc nemocný/á.
c) Na jaře a na podzim.

9. Co obvykle děláte v pátek večer?
a) Dívám se na televizi nebo čtu.
b) Sportuju nebo jdu do restaurace.
c) Pracuju.

10. Jak spíte?
a) Dobře.
b) Špatně.
c) Ujde to.

11. Co snídáte?
a) Džus, ovoce, jogurt a cereálie.
b) Nesnídám.
c) Čaj a rohlík s máslem a salámem.

12. Když nepracujete/nestudujete, jste
a) trochu nervózní
b) veselý/á
c) moc nervózní

	1.	2.	3.	4.	5.	6.	7.	8.	9.	10.	11.	12.
a	2	0	0	2	2	2	2	2	1	0	0	1
b	1	1	2	0	1	1	1	0	0	2	2	0
c	0	2	1	1	0	0	0	1	2	1	1	2

0 až 4 bodů: Umíte opravdu dobře odpočívat. Jste asi milionář nebo… jste trochu líný/línä?
5 až 12 bodů: Jste úplně normální. Umíte pracovat, ale taky odpočívat. Váš životní styl je ideální.
13 až 20 bodů: Pozor! Nepracujete moc? Váš životní styl může být nezdravý!
21 až 24 bodů: Pracujete moc a neumíte odpočívat. Zítra musíte celý den odpočívat!

Lekce 4

1. Používejte slovník. Spojte opozita.

tady	uvnitř	
blízko		nahoře
vpředu	vlevo	

venku	daleko	
	vpravo	tam
vzadu		dole

2. Řekněte, co je na fotografii.

Například: Vpravo je velký dům. Uprostřed...

1.

2.

3.

4.

3. Spojte čísla a písmena.

1.

2.

3.

A. Vlevo stojí velký supermarket. Vpravo je banka a obchodní dům. Uprostřed je řeka a most.
B. Uprostřed je rybník. Vzadu jsou hory a nahoře je les. Vlevo je dům a vpravo je kostel.
C. Uprostřed je řeka a most. Vzadu je hora a nahoře je hrad. Vpředu je vesnice, vlevo je les a vpravo je rybník.

4. Namalujte obrázek podle popisu.

Vpravo dole je velká hora. Nahoře je krásný starý hrad. Vlevo nahoře je letadlo. Uprostřed je malé město. Je to typické české město. Je tam řeka, most, banka, nemocnice, starý barokní kostel a panelové domy – paneláky. Nemocnice a banka jsou vpravo. Kostel je uprostřed. Paneláky jsou vlevo. Jsou vysoké a ošklivé. Vlevo dole je park. Jak se jmenuje ten hrad? Jak se jmenuje to město? Jak se jmenuje ta řeka?

5. Odpovídejte podle reality.

1. Kde je nějaká dobrá restaurace? – _____

2. Kde je metro nebo autobus? – _____

3. Kde je banka? – _____

4. Kde je tady blízko nemocnice? – _____

5. Kde je nádraží? – _____

6. Kde je nějaký hotel nebo penzion? – _____

7. Kde je park nebo les? – _____

6. Poslouchejte. Doplňte slova do textu.

Tom a jeho týden

Tom Reed je Angličan, ale teď není _____ Je v České republice.

Bydlí _____ v malém penzionu a studuje češtinu. V pondělí a ve středu dopoledne je ve

škole. Píše testy, čte texty a mluví česky. V úterý a v pátek je celý den _____

Ve čtvrtek je _____ Tom je fotograf a pracuje _____ v centru.

V sobotu večer je _____ nebo v divadle, večeří _____ nebo

hraje karty _____ V neděli večer je _____, studuje a píše

domácí úkoly. Co myslíte, jaký je jeho oblíbený den?

7. Dokončete věty.

Kdy tam jste?

V práci jsem _____

Doma jsem _____

Ve škole jsem _____

Co tam děláte?

V práci _____

V kanceláři _____

Doma _____

V hotelu _____

V restauraci _____

8. Řekněte, co je / není pravda.

1. Jana, Helena a Lucie jsou doma.
2. Jana, Helena a Lucie nejsou ve škole.
3. Pan Hasek je milionář.
4. Pan Hasek není Čech.

5. Pan Hasek je vegetarián.
6. Pan Smutný je šéf.
7. Pan Smutný je asi Čech.
8. Pan Hasek je ideální partner.

9. Doplňte do textu slova z tabulky.

není	nesmysl	doma	milionář	Čech	odpoledne	v práci

_____ v kanceláři.

Jana: Heleno! Lucie! Kdo je ten pan Hasek? Je _____?

Helena: Ne, není _____ Je Američan a manažer. Myslím, že je _____!

Jana: Opravdu je milionář? To je senzace!

Lucie: Ale ne. To je _____ Není milionář ani manažer. A taky není Američan. Je Angličan.

Je doktor a expert. _____ alkoholik ani chuligán. Je vegetarián a turista.

Dneska je tady _____, ale zítra je víkend a já a on…

Helena: Pozor! Je tady šéf, pan Smutný. Nejsme _____, jsme _____!

10. Dělejte kvíz.

Co kde děláte?

1. V restauraci
a) nakupuju
b) vařím
c) jím

2. V práci
a) pracuju
b) spím
c) odpočívám

3. Doma
a) hraju hokej
b) bydlím
c) sportuju

4. V České republice
a) jím
b) studuju
c) pracuju

5. V kanceláři
a) píšu e-maily pro kamarády
b) piju kávu
c) pracuju na počítači

6. V kině
a) se dívám na televizi
b) čtu
c) se dívám na film

7. V hospodě
a) piju čaj
b) piju mléko
c) piju pivo

8. Ve škole
a) spím
b) studuju
c) mluvím s kamarády

9. V hotelu
a) pracuju
b) hraju fotbal
c) bydlím

11. Dělejte správné věty.

1. Alice uklízí a doma a Martin jsou dneska

2. spí Irena hotelu dneska v večer

3. je Adam v není hospodě ale kanceláři v

4. Eva je je teď ve protože škole učitelka

5. není Viktor student ve škole je ale týden příští

1. _____

2. _____

3. _____

4. _____

5. _____

12. Hádejte, kde můžete slyšet...

1. *Pane řediteli, tady je ten projekt.*
2. *Ta herečka je opravdu dobrá!*
3. *Ještě jednou pivo!*
4. *Tady je váš klíč.*
5. *Prosím zeleninový salát.*
6. *Je to 1 354 korun.*
7. *Haló? Kdo je to?*
8. *Nerozumím. Mám otázku!*

A. v hotelu
B. v telefonu
C. v divadle
D. v supermarketu.
E. v kanceláři
F. ve škole
G. v restauraci
H. v hospodě

13. Najděte správnou reakci nebo otázku.

1. Kdy je konference?
a) V ráno.
b) Ráno.
c) V Praze.

a) Kdo jste?
b) Kde je konference?
c) Kdy je konference?

4. V pondělí.

2. Kdo je to?
a) Kamarád.
b) Zítra.
c) Tady.

a) Kdo je ta paní?
b) Kde je ta paní?
c) Kdy je ta paní doma?

5. Angličanka.

3. Kde je šéf?
a) V doma.
b) Doma.
c) V Amerika.

a) Kde je John?
b) Kdo je John?
c) Kdy je John tady?

6. Doma.

14. Dělejte otázky.

Kdo _____

Kde _____

Kdy _____

V kolik hodin _____

Co _____

Jak _____

Jaký _____

Jaká _____

Jaké _____

Čí _____

15. Dělejte otázky na zvýrazněná slova. Používejte *co, kdo, kde* a *kdy*.

Například: Supermarket je **blízko**. – Kde **je** supermarket? – **Blízko**.

1. Příští lekce je **v 15. 30**. – _____

2. **Učitelka** pracuje ve škole. – _____

3. V pondělí ve 12. 30 obědvám **tady dole v restauraci**. – _____

4. Jsme zítra **v práci** už v 6 ráno. – _____

5. **Detektivka** je v 10 večer. – _____

6. Dneska jdu spát **v 9 večer**. – _____

7. Film je **v kině Alfa v centru**. – _____

16. Dělejte otázky.

1. _____ – Eva.

2. _____ – Zítra večer.

3. _____ – Dobře.

4. _____ – Káva.

5. _____ – Učitelka.

6. _____ – Dneska ráno.

7. _____ – Ne, je vpravo.

8. _____ – Z Francie.

9. _____ – Můj kamarád.

10. _____ – Je nahoře.

11. _____ – Ne, je manažerka.

12. _____ – Ano, je tady vlevo.

17. Dělejte otázky.

Například: Kdo vstává v 5 hodin ráno?

Kdo	pracovat	_____
Kde	cestovat	_____
Kdy	studovat	_____
V kolik hodin	dělat	_____
Co	vstávat	_____
Jak	jmenovat se	_____
Jaký	číst	_____
Čí	být	_____

18. Vyškrtněte, co tam nepatří. (Cross out what doesn't belong.)

V kanceláři je televize, šéf, kamarád, víno, káva, fax, manžel, kolega, asistent, manželka, sekretářka, bar, kolegyně.
Ve škole je kamarád, mapa, pivo, televize, náměstí, učitelka, princ, židle, fax, kalendář, alkohol, ovoce, prezident.
Doma je šéf, šunka, manželka, partner, premiér, zelenina, počítač, fax, kalendář, kolegyně, jídlo, restaurace, pití.
V centru je divadlo, letiště, pošta, nádraží, náměstí, řeka, moře, metro, kino, hypermarket, pumpa, galerie, opera.
V hotelu je bar, bazén, fax, parkoviště, televize, počítač, kavárna, metro, restaurace, park, recepce, ředitel.

19. Doplňte dialog.

A: _____ ?

B: *Ano, jsem cizinec.*

A: _____ ?

B: *Ne, nejsem Američan. Jsem Angličan.*

A: _____ ? Nebo _____ ?

B: *Ne, nejsem. Jsem manažer.*

A: _____

B: *Já jsem taky rád, že jsem tady.*

A: _____ ?

B: *Ne, dneska v poledne nejsem tady v práci, ale obědvám v hotelu Hilton.*

A: _____ ?

B: *Ano. Zítra ráno jsem tady v kanceláři.*

A: _____

B: *Na shledanou.*

20. Najděte správnou odpověď.

1. Odkud jste?
a) Z Anglie.
b) Nejsem.
c) Anglie.

2. Jak se jmenujete?
a) Praha.
b) James Brown.
c) Američan.

3. Děkuju!
a) To nic.
b) To je fajn!
c) Prosím.

4. Jsi zítra večer doma?
a) Nejsme.
b) Nejste.
c) Nejsem.

5. Jsi ráda, že je metro blízko?
a) Ano, to je metro.
b) Ano, je blízko.
c) Ano, jsem.

6. Kde bydlíte?
a) V centru.
b) Z Kanady.
c) Australanka.

7. Co dělá Eva?
a) Pracuju v kanceláři.
b) Pracuje doma.
c) Pracuješ doma.

8. Kde pracuje David?
a) V kanceláři.
b) V centrum.
c) Pracuje.

9. Čí je ten počítač?
a) Můj.
b) Moje.
c) Naše.

10. Kde je tvůj kamarád?
a) Práce.
b) V práci.
c) Práci.

11. Promiňte!
a) Ujde to.
b) To nic.
c) Ano.

12. V kolik zítra vstáváš?
a) 8 hodin.
b) V 8 hodin.
c) Je 8 hodin.

13. Kdy lyžuješ?
a) Zima.
b) V zimě.
c) Na zimě.

14. Jsme ..., že jsme tady.
a) rád
b) ráda
c) rádi

15. Krghdrghtsrshdtrsvb!
a) To je pravda.
b) To je senzace!
c) To je nesmysl!

Lekce 5

1. Čtěte.

2x kávu	1x omeletu	2x džus	10x guláš, 5x pivo a 5x limonádu
3x limonádu	3x pivo	2x zeleninový salát	1x biftek a hranolky
4x čokoládový dort	2x vanilkovou zmrzlinu	7x jogurt	6x šunku a okurku

2. Čtěte. Dejte slova v závorce do správného tvaru.

Číšník: Prosím? Co si dáte?
Iva a Jakub: Dáme si 2x (gulášová polévka) a 4x (rohlík).
Číšník: A ještě něco?
Iva a Jakub: Ano. 2x (omeleta) ale 3x (zeleninový salát) a 5x (majonéza).
Číšník: A dáte si brambory nebo hranolky?
Iva a Jakub: 1x hranolky a 1x brambory.
Číšník: A co k pití?
Iva a Jakub: 1x (pivo) a 1x (limonáda).
Číšník: A dáte si nějaký dezert?
Iva a Jakub: Ano! 2x (čokoládová zmrzlina) a 2x (černá káva).
Číšník: To je všechno?
Iva a Jakub: Ano, to je všechno.

3. Co říká číšník (Č) a co host (H)?

1. Dám si maso a knedlíky _____
2. A co k pití? _____
3. Dáte si taky salát? _____
4. Zaplatím. _____
5. Je tady volno? _____

6. Co si dáte? _____
7. Máte tatarskou omáčku? _____
8. Ještě něco? _____
9. Chtěl bych omeletu a brambory. _____
10. Co si přejete? _____

4. Co znamenají tato divná slova?

1. Chtěl bych nějaké dobré ÍVON.
2. Dám si MIKRÁLNEU.
3. Chcete silnou VUKÁ?
4. V neděli obědváme MOSA a BRABOMRY.
5. Piješ ráno AOAKK nebo LÉMOK?

6. Chtěl bych nějaký dobrý DROT.
7. Mám ráda KOČODÁLU.
8. Můj syn nejí POÉLKVU!
9. Nemám ráda slabý JAČ.
10. To je dobrá LINRZMZA.

5. Co si dáte na „večeři snů" (= "dream dinner")?

aperitiv	předkrm	polévka	hlavní jídlo	pití	dezert

6. Objednávejte jídlo pro tyhle lidi.

diabetik _____

dítě, které má narozeniny _____

vegetarián _____

paní, která chce být štíhlá _____

váš nejlepší obchodní partner _____

7. Řekněte, kdo je kdo v restauraci.

1. Daniel jí špagety se sýrem a kečupem a pije pivo.
2. Renáta má dietu. Jí zeleninový salát a pije minerálku.
3. Pavel má malou dceru Alenu. Alena má narozeniny. Pavel a Alena jedí dort.
4. Martin nemá hlad, má jenom žízeň. Pije velkou kokakolu a čte Prague Post.
5. Eliška má velký hlad! Jí tři hamburgery, hranolky a zmrzlinu.
6. Monika, Roman a Robert nejedí a nepijou. Mají schůzku, čtou dokumenty a diskutujou.

8. Seřaďte konjugaci sloves *mít, chtít, jíst* a *pít*.

já		majít		chtějí		jíme		pijete
ty		má		chcete	1.	jím		pije
on, ona, to	1.	mám		chceš		jí / jedí		pijeme
my		máte		chceme		jíte		piješ
vy		máš		chce		jíš	1.	piju
oni		máme	1.	chci		jí		pijou

9. Dělejte věty podle modelu.

Například: Rád piju kolu. – Mám rád kolu.

1. Rádi hrajeme tenis. _____

2. Rád jím guláš. _____

3. Aleš rád hraje fotbal. _____

4. Daniel rád pije horkou čokoládu. _____

5. Jana a Josef rádi čtou knihy. _____

6. Zuzana se ráda dívá na romantické filmy. _____

10. Dělejte věty. Doplňte rád nebo *mít rád*.

Například: káva – **Mám rád** kávu. pít kávu – **Rád piju** kávu.

číst* knihy	knihy	supermarket	nakupovat v supermaketu	maso
jíst* maso	čaj	pít* čaj	hrát* volejbal	fotbal
testy	psát* testy	restaurace	jíst* v restauraci	obrazy
malovat obrazy	hrát* kanastu	kanasta	zmrzlina	jíst* zmrzlinu

11. Doplňte *rád* nebo *mít rád*.

1. (Já) _____ píšu dopisy.

2. (Já) _____ literaturu.

3. Zuzana _____ uklízí.

4. Martin _____ fotbal.

5. (Ty) _____ čteš?

6. (Vy) _____ pracujete?

7. (Ty) _____ čokoládu?

8. Iva a Jana _____ vaří.

9. (Vy) _____ knedlíky?

10. Eva _____ píše testy.

11. Andrej _____ fotografuje.

12. (My) _____ hrajeme fotbal.

13. Eva a Jarka _____ nakupujou.

14. (Ty) _____ plaveš?

15. Alice _____ čaj s mlékem.

16. Petr _____ čte detektivky.

17. Matka a otec _____ cestujou.

18. Můj kamarád _____ hraje karty.

19. Irena _____ vanilkovou zmrzlinu.

20. Zuzana _____ romantické knihy.

21. Naši kamarádi _____ nakupujou.

22. Moje dcera _____ hraje tenis.

23. Můj syn _____ kakao

24. Jana _____ jí čokoládu.

12. Podtrhněte správnou formu.

Například: Dobrá káva / dobrou kávu je horká a silná. Piju *dobrá káva / dobrou kávu.*

1. Snídám *šunka a houska / šunku a housku.*

2. *Majonéza / majonézu* není zdravá.

3. Maminka vaří *dobrá káva / dobrou kávu.*

4. *Babička / babičku* vaří knedlíky.

5. *Kamarád / kamaráda* má zajímavou knihu.

6. *Sestra / sestru* má *nového kamaráda / nový kamarád.*

7. *Moje dcera / moji dceru* čte novou detektivku.

8. *Můj bratr / mého bratra* nepije alkohol.

9. Díváme se na *televize / televizi.*

10. *Populární autor / populárního autora* píše knihu.

11. Děti hrajou *nová hra / novou hru.*

12. *Naše babička / naši babičku* nerada cestuje.

13. *Dobrý student / dobrého studenta* je na univerzitě.

14. Profesor má *nový student / nového studenta.*

15. Máš *dobrý šéf / dobrého šéfa?*

16. *Dobrý šéf / dobrého šéfa* je v práci v 8 hodin ráno!

13. Dělejte věty podle modelu. POZOR na akuzativ sg.!

Například: já – uklízet – celý byt: Uklízím celý byt.

1. my – pít – dobrá káva _____

2. já – nepít – silná káva _____

3. ona – mít rád – veselý kamarád _____

4. ty – mít – krásná sestra _____

5. vy – číst – dobrá kniha _____

6. já – mít – velký oběd _____

7. on – mít rád – malý syn _____

8. my – psát – dlouhý dopis _____

9. ty – snídat – dobrá omeleta _____

10. ty – organizovat – kvalitní program _____

14. Řekněte, co ti lidé mají.

má hlad	má moc práce	mají rande	má peníze	má žízeň	má strach	má narozeniny

1.

2.

3.

4.

5.

6.

7.

15. Spojte čísla a písmena.

1. Máš hlad?
2. Máš ještě rýmu?
3. Máš zítra moc práce?
4. Máš dneska narozeniny?
5. Máš dobrou náladu?
6. Máš peníze?
7. Máš o víkendu čas?

A. Ano. Jsem bohatý.
B. Ne. Zítra mám volno.
C. Ne, mám špatnou náladu.
D. Ne, děkuju. Mám jenom žízeň.
E. Ne. Mám moc práce.
F. Ne. Mám narozeniny zítra.
G. Ne, už jsem zdravý.

16. Najděte význam slov v tabulce ve slovníku. Mluvte o lidech, které znáte.

pořád	často	dneska	teď	někdy	málokdy
Irena	má		často		migrénu.
					dobrou náladu.
					špatnou náladu.
					moc práce.
					hlad.
					žízeň.
					krásný život.
					rande.

17. Dejte slova v závorkách do správného tvaru.

Soňa a její víkend

Soňa Veselá je mladá učitelka. Učí _____ (angličtina)

a _____ (čeština). Dneska má _____ (dobrá nálada).

Je pátek a zítra je víkend. Soňa má _____ (hezký program)!

V sobotu dopoledne má _____ (kosmetika) a _____ (manikúra).

V sobotu odpoledne má _____ (návštěva). Její kamarádka Rachel z Ameriky je tady v Praze.

V 7 hodin večer mají _____ (rezervované místo) v restauraci Rio.

Soňa má _____ (restaurace Rio) moc ráda. Mají tam _____ _____ (dobrá káva)

a výborné _____ (mexické jídlo). V neděli odpoledne má Soňa _____ (rande).

Její kamarád Marek je sympatický student. Studuje _____ (česká literatura). Teď je

trochu nervózní, protože v úterý píše _____ (test). Ale Marek má _____ (talent),

a proto Soňa nemá _____ (strach).

18. Dělejte otázky a odpovídejte. Používejte sloveso *chtít* ve správném tvaru.

1. (chtít) pivo nebo minerálku
2. (chtít) silnou nebo slabou kávu
3. (chtít) čokoládovou zmrzlinu
4. (chtít) banán nebo pomeranč
5. (chtít) salám nebo sýr
6. (chtít) nové auto
7. (chtít) krásný parfém
8. (chtít) ananasový nebo pomerančový džus
9. (chtít) nového učitele nebo novou učitelku
10. (chtít) mít peníze, ale ne moc práce

19. Doplňte správné tvary sloves.

Filip Novák (mít) _____ velkou angorskou kočku Micku. Ta kočka (mít rád) _____ smetanu

a kvalitní maso. Filip (mít) _____ taky sympatickou kamarádku Zuzanu. Zuzana (být) _____

výborná kamarádka, ale (nemít rád) _____ kočku Micku. (Nechtít) _____ mít kočku ani doma,

ani v práci. Filip (mít) _____ velký problém: kočku – nebo Zuzanu! A ta kočka (mít) _____

taky smůlu. Kdo dneska (chtít) _____ takovou tlustou a velkou kočku? Velká kočka moc jí, (být)

_____ drahá a Filip a Zuzana (nemít) _____ peníze. A tak Zuzana nekupuje jídlo a pití a kočka

Micka (mít) _____ dietu. (Nemít) _____ smetanu, maso, ani šunku. (Mít) _____

jenom mléko a myš. A Zuzana (být) _____ ráda, že kočka (být) _____ krásná a štíhlá a ona

může (mít) _____ moderní nový svetr.

20. Doplňte všechny formy sloves.

	MÍT	JÍST	PÍT	
_____		jím		čtu
_____	máš	_____	piješ	
jsme	_____	jíme	_____	
_____				

21. Dokončete věty.

1. Když nechci mít hlad, musím _____
2. Když nechci mít žízeň, musím _____
3. Když chci mít krásný život, musím _____
4. Když chci mít peníze, musím _____

22. Doplňte věty. Hledejte více možností.

1. Zuzana a Ivana _____ silný čaj.
2. Ředitel _____ dobrou sekretářku.
3. (Ty) _____ šlehačku?
4. Alena _____ novou kosmetiku.
5. Adam _____ nový svetr.
6. (Ty) _____ kávu nebo čaj?
7. Petr _____ limonádu.
8. Šéfka _____ špatnou asistentku.
9. (Vy) _____ cigaretu?
10. (Já) _____ šunku.

11. (Já) _____ vodu, ale _____ silnou kávu.
12. Tomáš. _____ dobrou majonézu.
13. Petr _____ doktor.
14. Alena a Jana _____ v kanceláři.
15. (Ty) _____ tady taky?
16. Ron a Eva _____ doma.
17. (Já) _____ moderní auto.
18. Iva a Jan _____ v práci.
19. Olga _____ malou dceru.
20. V restauraci _____ bílé víno.

23. Co znamenají slova v tabulce? Používejte slovník. Doplňte je do textu.

proto	nikdy	někdy	protože	proč	ale	taky

1. Nejím maso, _____ jsem vegetarián.
2. Jsem vegetarián, a _____ nejím maso.
3. _____ nejíš maso? – Protože jsem vegetarián.
4. Jsem vegetarián a Eva je _____ vegetariánka.
5. Jsem vegetarián, _____ někdy jím ryby.
6. Jíš maso? – _____ ano, _____ ne.
7. _____ nejím maso, protože jsem vegetarián.

24. Doplňte výrazy z tabulky do textu.

sedněte si	odskočím si	jsem moc ráda	má dovolenou	nemocná
pojďte dál	pozdravujte		nechcete	nemám hlad

Na návštěvě

Paní Bílá: Dobrý den. Jak se máte? _____ Jsem ráda, že jste tady.

Pan Novák: Děkuju, paní Bílá.

Paní Bílá: Prosím, odložte si. Tady je gauč, _____, prosím! Nechcete kávu?

Pan Novák: Ano, děkuju. Ale prosím vás, nemáte smetanu nebo mléko?

Paní Bílá: Samozřejmě. Tady je mléko. _____ cukr?

Pan Novák: Ne, děkuju. Cukr nechci. Cukr není moc zdravý.

Paní Bílá: A nechcete dort nebo koláč?

Pan Novák: Ne, děkuju, _____ A taky mám dietu. Prosím vás, kde tady máte toaletu?

_____

Paní Bílá: Tady, tady. Prosím.

Paní Bílá: Tak, tady je ta káva. No, a co vaše manželka? Ještě je _____?

Pan Novák: Ne, už je zdravá. Teď tady není, _____ Já mám bohužel moc práce, a tak musím být tady.

Paní Bílá: _____, že je vaše manželka zdravá.

Pan Novák: Tak na shledanou, paní Bílá. _____ manžela a dceru!

Paní Bílá: Děkuju. A vy _____ manželku. Na shledanou.

Lekce 6

1. Jaká slovesa mají nepravidelné -l formy? Podtrhněte je. Dělejte věty.

mít	dělat	chtít	spát	pracovat	odpočívat
nakupovat	umřít	studovat	likvidovat	hrát	psát
číst	uklízet	vařit	jíst	vstávat	moct
cestovat	rozumět	jít	jet	plavat	lyžovat

2. Najděte slovesa s nepravidelnými -l formami.

```
CH  O  Z  U  P  I  Ř  R  Š  K
J   Č  E  T  L  Ž  S  P  A  L
I   O  L  G  F  Q  V  W  X  U
Č   T  P  I  L  A  Y  Ě  Ř  P
M   Ť  L  R  E  X  CH T  Ě  L
Ě   J  O  R  Š  P  I  U  U  R
L   S  W  M  Z  Ý  C  D  Q  A
Š   Í  R  O  U  Z  A  E  B  K
I   Č  U  H  R  Š  K  L  Y  J
P   S  A  L  P  E  I  T  L  H
Ř   Ě  D  M  W  L  C  X  N  F
```

3. Používejte slovesa v minulém čase.

1. Můj tatínek _____ (být) doma.

2. Petr _____ (mít) včera velký hlad.

3. Moje šéfka _____ (být *neg.*) v práci celý týden.

4. Můj manžel _____ (chtít) vstávat v 5 ráno.

5. Kamarádi _____ (pít) kávu nebo čaj?

6. Co _____ (jíst) tvoje sestra včera večer?

7. Kdy _____ (umřít) ten populární autor?

8. Martin _____ (jít) na koncert.

9. Alice _____ (jet) na party.

10. Náš pes _____ včera (chtít *neg.*) jíst.

11. Moje kolegyně Irena _____ (jíst *neg.*), protože _____ (mít) dietu.

12. Alice a Robert ještě _____ (číst *neg.*) tu krásnou knihu.

13. Zpěvák včera _____ (moct *neg..*) zpívat, protože _____ (mít) rýmu.

14. Irena _____ (chtít *neg.*) pít alkohol.

4. Používejte slovesa v minulém čase.

Filip Novák _____ (mít) velkou angorskou kočku Micku. Ta kočka _____ (mít rád) smetanu a kvalitní

maso. Filip _____ (mít) taky sympatickou kamarádku Zuzanu. Zuzana _____ (být) výborná kamarádka,

ale bohužel _____ (nemít rád) kočku Micku. _____ (Nechtít) mít kočku ani doma, ani v práci. Filip

_____ (mít) velký problém: kočku – nebo Zuzanu! A ta kočka _____ (mít) taky smůlu. Tlustá a velká

kočka _____ (být) drahá a Filip a Zuzana _____ (nemít) peníze. A tak _____ (mít) kočka Micka

dietu. _____ (Nemít) smetanu, maso ani šunku. _____ (Mít) jenom mléko a myš. A Zuzana _____

(být) ráda, že kočka je krásná a štíhlá a ona může kupovat moderní svetry.

5. Řekněte / napište v minulém čase.

1. Můj dědeček je moc hodný člověk. Má dobrou náladu a je veselý. Je vysoký a hubený. Moc nejí, ale pije pivo. Odpoledne spí a večer čte. Má rád komedie a detektivky.

_____

_____

2. Moje kamarádka Pavla bydlí v Praze, ale má ráda hory. Když má volno, vždycky jede na hory. Nemá auto, a proto jede autobusem. Pavla ráda lyžuje a hraje tenis. Je taky dobrá tenistka. Má ráda lidi a dobré jídlo.

_____

_____

3. To je krásná fotografie! Jsou tam hory. Nahoře je starý hrad. Uprostřed je velká řeka. Vpravo dole je malá vesnice. Vlevo dole je most.

_____

_____

6. Najděte správnou odpověď.

Co víte o slavných lidech?

1. Matka Tereza žila a pracovala
a) v Etiopii
b) v Anglii
c) v Indii

2. Edith Piaf byla
a) francouzská tenistka
b) francouzská politička
c) francouzská zpěvačka

3. Paul Mc Cartney se narodil
a) v roce 1942
b) v roce 1932
c) v roce 1922

4. Albert Einstein hrál
a) na housle
b) na viloncello
c) na trubku

5. Ludwig van Beethoven umřel
a) v roce 1927
b) v roce 1827
c) v roce 1527

6. A. P. Čechov psal
a) romány
b) divadelní hry
c) písničky

7. Chalíl Džibrán byl
a) libanonský spisovatel
b) libanonský herec
c) libanonský politik

8. Miguel de Cervantes psal
a) televizní seriály
b) prózy
c) komiksy

9. Kacušika Hokusai byl
a) japonský malíř
b) japonský herec
c) japonský spisovatel

7. Změňte věty podle modelu. POZOR na druhou pozici!

Například: Byl jsem v restauraci. Včera jsem byl v restauraci.

1. Jedl jsem knedlíky. Včera_____

2. Spala jsem. O víkendu_____

3. Vařil jsem guláš. Včera_____

4. Četl jsem detektivku. Minulý týden_____

5. Měla jsem hlad a žízeň. Ráno_____

6. Díval jsem se na televizi. Včera v noci_____

7. Byl jsi včera večer doma? Ty_____

8. Viděli jste ten zajímavý film? Vy_____

9. Jmenovala jsem se Nováková. Před svatbou_____

10. Narodil jsem se v Praze. V roce 1980_____

8. V každé větě je chyba v druhé pozici. Opravte je.

1. Včera byli jsme celý den doma.
2. Já a moje kamarádka kupovali jsme novou videokameru.
3. Včera večer měla jsem velký strach, protože četla detektivku jsem.
4. Jsme nechtěli jíst doma, jsme chtěli jíst v restauraci.
5. Předevčírem měla jsem tlustý svetr, protože byla velká zima.
6. Dneska dopoledne spal jsi? Jsem telefonoval, ale nikdo nereagoval.

9. Vyberte správný tvar.

1. David _____ dobrou náladu.
a) měla
b) měl
c) měl je

2. Lucie _____ hezký svetr.
a) viděl
b) viděla je
c) viděla

3. Já a bratr _____ klíč.
a) hledal jsem
b) hledali jsme
c) jsme hledali

4. Pan a paní Novákovi _____ program.
a) plánovali
b) plánovali jsou
c) plánoval

5. _____ doma?
a) Byl jsi
b) Jsi byl
c) Byli jsem

6. Včera _____ krásný den.
a) byl
b) bylo
c) byla

7. Marie _____ peníze
a) nepotřeboval
b) nepotřebovala je
c) nepotřebovala

8. John a Alice _____ ve škole.
a) nebyli
b) nejsou byli
c) měli byli

9. _____ spát.
a) Nejsem mohl
b) Nemohl jsem
c) Nemohl jsme

10. O víkendu _____ v práci.
a) nebyl jsem
b) nejsem byl
c) jsem nebyl

10. Dělejte otázky.

vidět někdy rodeo nebo koridu	hrát někdy v televizi nebo ve filmu
vyhrát někdy v loterii číst nějakou českou knihu	být na safari
vidět včera nějaký dobrý film pít někdy absint být v Asii	

11. Co nedělali pralidi?

luxovat	poslouchat walkman	dívat se na televizi	telefonovat
pracovat na počítači	nosit džíny jíst hamburgery	používat elektrickou lampu	

12. Doplňte sloveso v minulém čase. Najděte víc možností.

1. _____ zajímavou knihu.

2. _____ v hotelu nebo doma?

3. _____ jídlo a pití.

4. Ten film _____ opravdu dobrý.

5. Včera _____ celý den.

6. Co _____ o víkendu?

7. V restauraci _____ dobré jídlo.

8. V sobotu _____ v kanceláři.

13. Dělejte věty se slovy z tabulky.

zpívat písničky	hrát na kytaru	točit filmy	založit kapelu
nosit velké boty	zpívat na ulici	být velmi chudý	být velmi bohatý

14. V každém odstavci jsou 3 chyby. Opravte je.

Akira Kurosawa   *Marie Curie-Skłodowská*   *Andrej Tarkovskij*   *Edith Piaf*
John Lennon   *Louis Armstrong*   *Charles Chaplin*   *Ema Destinnová*

1. _____
Byl Angličan. Narodil se v roce 1999 v Londýně v chudé rodině. Nejdřív pracoval v Anglii, ale pak jel do Ameriky. Miloval divadlo. Začínal jako herec a později měl filmové studio. Ve filmu nosil velké boty, černý klobouk a knír. Po roce 1945 žil ve Švýcarsku. Umřel v roce 1777.

2. _____
Byl Španěl. Narodil se v roce 1901 v New Orleansu. Jeho rodina byla velmi bohatá. Už jako malý kluk hrál na trubku. Později taky zpíval a hrál v jazzovém orchestru. Jazz byl jeho život! Jeho kamarádi říkali, že je Jazzový král. Umřel v New Yorku v roce 1571.

3. _____
Byla Češka. Narodila se v roce 1878. Měla krásný soprán, a proto studovala balet. Nejdřív hrála v Národním divadle v Praze, ale později taky v Covent Garden v Londýně a v Metropolitní opeře v New Yorku. Milovala populárního italského zpěváka Carusa a on miloval ji. Umřela v roce 1930. Její portrét vidíte na bankovce 100 Kč.

4. _____
Byl Rus. Narodil se v roce 1932. Studoval orientalistiku a pracoval jako režisér a scénárista. Nejdřív žil v Rusku, ale později emigroval do západní Evropy. Točil populární a veselé filmy, například Andrej Rublev nebo Stalker. Umřel v roce 1556.

5. _____
Byla Polka. Narodila se v roce 1867. Nejdřív žila v Polsku, ale pak ve Francii. Studovala literaturu a chemii a později pracovala jako učitelka fyziky na Sorbonně. Její manžel byl taky matematik. Spolu studovali radioaktivitu a objevili radium a polonium. Dvakrát dostala Nobelovu cenu za fyziku – v roce 1903 a 1911. Umřela v roce 1934.

6. _____
Byl Angličanka. Narodil se v roce 1940 v Liverpoolu. Už jako kluk hrál na kytaru, zpíval a psal písničky. V roce 1962 založil s kamarády orchestr. Byla to asi nejslavnější kapela na světě. Jejich kapela skončila v roce 1950. Pak žil v Americe. Umřel v roce 1980. Jeho manželka je Ruska.

7. _____
Byla Francouz. Narodila se v roce 1915 ve Francii. Když byla malá, byla velmi krásná a musela zpívat na ulici. Později začala zpívat šansony a byla velmi slavná a populární. Pracovala taky v divadle a ve filmu. Umřela v roce 1963.

8. _____
Byl Japonec. Narodil se v roce 1910. Ve čtyřicátých letech začínal točit filmy jako herec. Jeho nejslavnější film je komické drama Sedm samurajů. Dělal taky psychologické filmy a psal scénáře. Umřel v roce 1998 jako legendární autor.

15. Doplňte věty.

1. Pierre je Francouz. Mluví _____ Jeho země se jmenuje _____
2. Irina je _____ Mluví rusky. Její země se jmenuje _____
3. Hans je Němec. Mluví _____ Jeho země se jmenuje _____
4. Ján je _____ Mluví _____ Jeho země se jmenuje Slovensko.
5. Halina je _____ Mluví _____ Její země se jmenuje Polsko.
6. Gertraude je Rakušanka. Mluví _____ Její země se jmenuje Rakousko.
7. Douglas je _____ Mluví anglicky. Jeho země se jmenuje _____
8. Juan je _____ Mluví _____ Jeho země se jmenuje Španělsko.
9. Laura je Italka. Mluví _____ Její země se jmenuje _____
10. Mai je Vietnamka. Mluví _____ Její země se jmenuje _____

16. Doplňte tabulku. Pak řekněte, jaká první asociace vás napadne, když o té zemi slyšíte. POZOR na rody!

Například: Anglie – anglický – anglický fotbal / anglická královna / anglické pivo

_____	anglický	_____
_____	americký	_____
Austrálie	_____	_____
	český	_____
Čína	_____	_____
	francouzský	_____
Indie	_____	_____
	japonský	_____
Kanada	_____	_____
	německý	_____
	ruský	_____

17. Téma ke konverzaci: Jak znáte Evropu? Dělejte další otázky.

1. Jak se jmenuje země, kde dělají Lego?
2. Jak se jmenuje země, kde můžete pít metaxu?
3. Jak se jmenuje země, kde lidi tancujou flamengo?
4. Jak se jmenuje země, kde se narodil dramatik A. P. Čechov?
5. Jak se jmenuje země, která má hlavní město Baile Átha Cliath?
6. Jak se jmenuje země, kde můžete vidět Stonehenge?
7. Jak se jmenuje země, kde jsou hory Tatry?
8. Jak se jmenuje země, kde se narodil Leonardo da Vinci?
9. Jak se jmenujou země, kde mají výborné víno?
10. Jak se jmenujou země, kde můžete vidět Alpy?
11. Jak se jmenujou země, kde teče řeka Dunaj?
12. Jak se jmenuje země, kde je krásné historické město Krakow?

Lekce 7

1. Doplňte.

Co tam děláme?

1. V kuchyni _____

2. V obýváku _____

3. V koupelně _____

4. V ložnici _____

5. V dětském pokoji _____

6. Na zahradě _____

Co tam je?

1. V kuchyni je _____

2. V obýváku je _____

3. V koupelně je _____

4. V ložnici je _____

5. V dětském pokoji je _____

6. Na zahradě je _____

2. Spojte čísla a písmena.

Co znamená v inzerátu...

RD	byt v osobním vlastnictví (= privátní byt)
kk	byt pro dvě generace
m^2	metr čtvereční
3+1	rodinný dům
dr. byt	byt, který má jednu kuchyň a tři pokoje
byt v OV	družstevní byt (= kooperativní byt)
panelák	panelový dům
dvougenerační byt	kuchyňský kout

3. Čtěte inzeráty. Používejte slovník. Doplňte cenu z tabulky.

1. Koupím dvougenerační rodinný dům s velkou zahradou a garáží. Preferuju klidnou lokalitu na kraji Prahy. Cena maximálně _____ Kč. Telefon 255 465 498, fax 255 493 562.

2. *Prodám atraktivní byt 2+1 (64 m^2) s terasou 11 m^2 v novém bytovém komplexu v Praze 6. V areálu je recepce a bazén, blízko je park a tenisový kurt. K bytu je možné koupit garáž. Cena _____ Kč. Mobil 777 456 893.*

3. **Anglický lektor a německá učitelka hledají zařízený podnájem v centru, maximálně _____ Kč za měsíc. Preferujeme 2+1 nebo 2+kk. Mobil 608 555 446.**

4. *Prodám 3+1 (72m^2) v panelovém domě. Byt je po rekonstrukci. Klidná lokalita blízko školy a lesa. Perfektní pro mladou rodinu s dětmi. Cena _____ Kč. Kontakt 251 569 111 (večer).*

1 450 000 Kč	8 000 000 Kč	15 000 Kč	4 700 000 Kč

4. Změňte věty podle modelu.

Například: Hledám chytrého partnera. – Můj partner musí být chytrý.

1. Potřebuju velkého psa. 2. Hledám veselou kamarádku. 3. Chtěl bych mít inteligentní sekretářku.

4. Hledáme dobrou učitelku. 5. Chceme starý dům. 6. Chtěla bych mít sympatického kamaráda.

7. Potřebuju energického asistenta. 8. Hledám bohatého partnera. 9. Hledáme tlustou modelku.

5. Napište inzeráty pro tyhle lidi.

6. Čtěte. Dělejte otázky k textu a odpovídejte.

Miluje Jana Martina?

Martin: No ne, Jana! Miluju Janu! Jano, co dneska večer děláš? Tady blízko je jedna dobrá kavárna...
Jana: Ahoj! Hm, dneska večer nemám čas... Pracuju v kanceláři a dneska máme moc práce.
Martin: Aha... A co v úterý? Máš čas v úterý odpoledne?
Jana: Ne, ne, v úterý odpoledne taky nemám čas. Sportuju – plavu a hraju tenis.
Martin: Hmm... A co ve středu? Ve středu je jeden výborný americký film.
Jana: Ve středu s mojí kolegyní Jarkou nakupujeme. Jarka potřebuje novou tašku a já potřebuju svetr.
Martin: Ach jo... A co ve čtvrtek? Ve čtvrtek taky nemáš čas?
Jana: Ve čtvrtek? Ne, ve čtvrtek taky nemůžu.
Martin: Taky ne? A co děláš?
Jana: Ve čtvrtek odpoledne vždycky píšu dopisy a e-maily.
Martin: Tak v pátek...
Jana: V pátek? Ale já v pátek nakupuju, vařím a uklízím!
Martin: Ale pak už je víkend... A co děláš v sobotu?
Jana: V sobotu studuju angličtinu. Celý den!
Martin: Ale pak už je jenom neděle... A v neděli taky studuješ, pracuješ, sportuješ a vaříš?
Jana: Ne. V neděli spím!

7. Doplňte femininum. Pak dělejte otázky.

Například: dobrý asistent a dobrá asistentka – **Hledáš / potřebuješ / vidíš** dobr**ého** asistent**a** nebo dobr**ou** asistentk**u**?

sympatický kamarád a _____

dobrý šéf a _____

výborný doktor a _____

energický partner a _____

chytrý prezident a _____

moderní manažer a _____

nový ředitel a _____

český učitel a _____

8. Doplňte akuzativ sg. Pak řekněte věty v minulém čase.

1. Miluju _____ (silná horká káva a studená limonáda).
2. Hledám _____ (nový dům a nový manžel).
3. Chci mít _____ (dobrý kamarád nebo dobrá kamarádka).
4. Čekám na _____ (pan profesor a jeho sekretářka).
5. Prodávám _____ (staré auto a krásná zahrada).
6. Nesnáším _____ (slabá káva a studená polévka).
7. Kupuju _____ (čokoládová a vanilková zmrzlina).
8. Používám _____ (stará tužka a nový počítač).
9. Potřebuju _____ (nová tužka a velký papír).
10. Ředitel řídí _____ (velká firma a velký mercedes).

9. Dělejte věty.

1. já – být – dobrý – student
2. učitel – mít – dobrý – student
3. já – nebýt – nový – šéf
4. já – potřebovat – nový – šéf
5. to – být – můj – malý – bratr
6. já – milovat – můj – malý – bratr
7. to – být – dobrá – studentka
8. učitel – mít – rád – dobrá – studentka
9. to – být – silná – káva
10. já – dát si – silná – káva
11. to – být – studená – minerálka
12. já – nepít – studená – minerálka

10. Podtrhněte slovesa, která můžou mít akuzativ sg. Dělejte věty.

být	mít	pracovat	cestovat		odpočívat	vstávat
chtít	tancovat	spát	hledat	psát	mluvit	říkat
studovat		číst	potřebovat		dělat	vidět
uklízet	večeřet		jíst	myslet	lyžovat	řídit

11. Dělejte věty.

čekat na	dobrý	dům
prodávat	špatný	kamarád – kamarádka
potřebovat	starý	guláš
vidět	nový	byt
hledat	hezký	p<u>e</u>s
kupovat	krásný	partner – partnerka
používat	levný	káva
dát si	drahý	učitel – učitelka

12. Doplňte do vět slova z tabulky.

ale	protože	a proto	když	a	nebo	proč	kdy

1. Nemám hlad, _____ nechci obědvat.

2. Nejdu na nákup, _____ nemám peníze.

3. _____ mám hlad, jdu do restaurace.

4. Nepiju mléko, _____ mám ráda kakao.

5. _____ jsi tady? Čekáš na kamaráda?

6. Mám rád kávu, kakao _____ čaj.

7. _____ potřebuješ ty peníze?

8. Kupuješ nové auto _____ staré auto?

9. Prodávám byt, _____ kupuju dům.

10. _____ řídím auto, nemůžu telefonovat.

11. Pavel má problémy, _____ je smutný.

12. _____ máš dneska odpoledne schůzku s kamarádem?

13. Zítra nemám čas, _____ mám schůzku.

14. Večer mám rande, _____ chci být krásná.

13. Čtěte. Odpovídejte na otázky.

Mladý Američan v Praze

Američan Peter Mint umí dobře česky, ale ještě češtinu studuje. Má lekci vždycky v úterý a ve čtvrtek. Myslí, že čeština je opravdu těžká, ale taky zajímavá a hezká. A proč studuje češtinu? Protože tenhle jazyk potřebuje. Pracuje jako redaktor v Prague Post a každý den mluví česky – dělá interview, telefonuje a diskutuje. Peter má českou manželku Moniku a syna Davida. Monika studuje angličtinu, ale nemá čas – a pravda je, že nemá ani talent. Je manažerka a má moc práce. A tak doma mluví česky. David má štěstí, protože má bilingvní rodinu. Mluví perfektně česky a anglicky – pardon, americky.

1. Kdo je Peter Mint?
2. Jak umí česky?
3. Kdy studuje češtinu?
4. Myslí, že čeština je lehký jazyk?
5. Proč studuje češtinu?
6. Má Peter rodinu?
7. Jak se jmenuje Peterova manželka?
8. Co dělá?
9. Mluví anglicky?
10. Jak mluví David?

14. Doplňte slovesa *umět, vědět a znát*.

1. _____, kdo je Karel Gott?
2. _____ Karla Gotta?
3. _____, kdy začíná film?
4. _____ rusky?
5. _____ dobře Českou republiku?
6. _____, kde mají vegetariánské jídlo?
7. _____, kde je metro?
8. _____ hrát na saxofon?

9. _____ nějakého českého autora?
10. _____, kdo je český premiér?
11. _____ nějaké české město?
12. _____, kdo tady byl včera?
13. _____ tancovat?
14. _____ nějakou dobrou hospodu?
15. _____, kdy je nějaký zajímavý koncert?
16. _____ francouzsky?

15. Dělejte otázky na zvýrazněná slova.

Například: Zítra končím v **10 hodin**. – Kdy zítra končíš?

1. Je tady **John Davis**. – _____?
2. Náš pes je **malý** a **veselý**. – _____?
3. Zítra jsem **ve škole**. – _____?
4. Konference je **v 9 hodin**. – _____?
5. Zítra ráno je **mítink**. – _____?
6. To je **můj** stůl. – _____?
7. Mám se **dobře**. – _____?
8. Ta káva je moc **silná**. – _____?
9. Byla jsem **doma**. – _____?
10. **Včera** jsem byl v práci. – _____?
11. To je **naše** židle. – _____?
12. Ten čaj je **studený**. – _____?

16. Doplňte slova s *ně-* a *ni-*. Pak je používejte ve větách.

Například: co – **něco** – **nic**

1. kdo _____
2. kdy _____
3. kde _____
4. jak _____
5. čí _____

17. Ptejte se a odpovídejte podle modelu.

Například: Kdo nikdy neviděl operu? – Můj kamarád, protože nesnáší operu.

Kdo nikdy neviděl operu? _____
Kdo nikdy neletěl letadlem? _____
Kdo nikdy nebyl v Asii? _____
Kdo nikdy neměl žádné zvíře? _____
Kdo nikdy neřídil auto? _____
Kdo nikdy nekouřil? _____
Kdo nikdy neplaval v moři? _____
Kdo nikdy nejel na koni? _____
Kdo nikdy nestudoval žádný jazyk? _____

18. Odpovídejte negativně.

1. Hledáte pana Nováka?
2. Potřebujete pan Horáka?
3. Vidíte toho člověka?
4. Máte rád toho politika?
5. Znáte toho pána?

6. Hledáte paní Novákovou?
7. Potřebujete paní Stejskalovou?
8. Vidíte tu paní?
9. Vidíte tu ženu?
10. Znáte tu učitelku?

19. Doplňte neurčitá zájmena (ně-).

1. Je tady _____ (kdo)?
2. Vidíš _____ (co)?
3. Tady venku je _____ (jaký) pán.
4. Bydlíte _____ (kde) blízko?
5. Chceš _____ (co)?
6. Ten e-mail je _____ (čí), ale nevím, čí.
7. Ten svetr musí _____ (kde) být!
8. Nepiju kávu často, ale jenom _____ (kdy).

20. Doplňte negativní zájmena (ni-).

1. Alena _____ (kdy) není v kanceláři.
2. Ve škole _____ (kdo) není.
3. Nepotřebuju _____ (co).
4. _____ (kdo) tady bohužel není.
5. Kde je ten pes? _____ (kdy) není doma!
6. Doma nemáme _____ (co) na oběd.
7. Čí je ta taška? Asi není _____ (čí).
8. Nemám hlad. Nechci _____ (co) jíst.

21. Opravte chyby.

1. Kdo čte? – Nikdo čte.
2. Nikdo byl doma.
3. Nikdy piju alkohol.
4. Nikde mají knihu, kterou potřebuju.
5. Vidím nic.

6. Potřeboval jsem nic.
7. Nikdy kupuju nekvalitní jídlo.
8. Nikde jsem viděl tvého bratra. Kde je?
9. Nemám rád televizi. Nikdy chci mít televizi.
10. Nikde tady blízko je pošta.

22. Doplňte prepozice.

1. Kupuju dobrou kosmetiku _____ maminku.
2. Dám si _____ snídani guláš.
3. Mám doma velký slovník _____ 500 korun.
4. Dáš si tu polévku _____ 45 nebo _____ 55 korun?
5. Máte tady dopis _____ pana ředitele?
6. _____ 20 minut jsem doma!

7. Máš zítra čas _____ krátkou schůzku?
8. Chtěla bych ten růžový svetr _____ 800 korun.
9. Co máte zítra _____ oběd?
10. Kamarád má nové auto _____ 400 000 korun.
11. Chtěla bych hezký svetr _____ syna.
12. Sejdeme se v centru! Jsem tam _____ 5 minut.

23. Doplňte prepozice (POZOR – někde prepozice není).

Jana je mladá maminka. _____ sobotu _____ ráno nakupuje _____ supermarketu. Její malá dcera
Lucinka má narozeniny. Jana potřebuje _____ Lucinku nějaký hezký dárek. Lucinka chce _____ neděli
_____ odpoledne dělat party _____ kamarády. Proto Jana kupuje rohlíky, šunku a sýr _____ jídlo, kolu
a limonády _____ pití a hezký papír _____ dárky.
Pak hledá nějaký dárek. Vidí krásnou panenku Barbie _____
1 000 korun. Panenka je moc krásná, ale Jana myslí, že je
_____ malé dítě moc drahá. A tak Jana kupuje levnou
panenku _____ 400 korun a malý dům _____ panenku
_____ 300 korun. Lucinka má hezké dárky.

Lekce 8

1. Dělejte otázky. Co bude váš učitel /spolužák dělat o víkendu?

číst detektivku	být doma	pít kávu	snídat v posteli
být v práci	pracovat na zahradě	vařit oběd	plavat v bazénu
psát e-maily	dívat se na televizi	hrát fotbal	studovat češtinu
hrát na piano	obědvat / večeřet v restauraci		lyžovat
tancovat	chytat ryby	cvičit	aerobik	bruslit
hrát scrabble	malovat byt / obraz	nakupovat	hledat nový byt
psát dopis	odpočívat	opalovat se	luštit křížovku

2. Dejte věty do budoucího času. Pak je řekněte negativně.

1. V zimě _____ dovolenou. (my, mít)

2. V létě _____ tenis! (já, hrát)

3. V září _____ češtinu. (my, studovat)

4. Příští týden _____ v kanceláři? (vy, být)

5. _____ tu polévku? (ty, jíst)

6. _____ příští rok cestovat? (ty, chtít)

7. V prosinci _____ dárky (vy, kupovat)

8. V lednu _____ (my, lyžovat)

9. Příští rok _____ (on, cestovat)

10. V srpnu _____ (ona, pracovat)

11. Na podzim _____ česky (já, mluvit)

12. Zítra _____ (my, vařit)

13. O víkendu _____ (ty, spát)

14. Večer děti _____ spát. (muset)

3. Napište, kdo to bude dělat.

Například: budu čekat na kamaráda – já

1. bude odpočívat – _____

2. budeš pracovat – _____

3. bude se dívat na televizi – _____

4. budou tancovat – _____

5. budete mít problémy – _____

6. budou číst – _____

7. budeš uklízet – _____

8. budete vařit – _____

9. bude mít volno – _____

10. budeme studovat celý den – _____

4. Napište v minulém a budoucím čase.

	pracuju	
	telefonuje	
	milujeme	
	čtou	
	mají	
	jsi	
	uklízím	
	vaříme	
	vidíte	

5. Dokončete věty.

Co bude v roce 2050?

1. V České republice už nebudou paneláky, ale _____

2. Lidé už nebudou bydlet jenom na Zemi, ale _____

3. Arnold Schwarzenegger už nebude herec, ale _____

4. Nikdo už nebude číst knihy, protože _____

5. Lidé nebudou muset jíst vitaminy, protože _____

6. Nebudou existovat mobilní telefony, protože _____

6. David vyhrál 100 milionů korun. Čtěte o tom, co dělá.

Můj život je úplně jiný!

David Vlasák říká: Vyhrál jsem v loterii 100 milionů korun. Můj život je úplně jiný. Mám velkou vilu v Praze 6. Je tam deset pokojů, velká zahrada a bazén. Nevařím a neuklízím – mám šéfkuchaře, který vaří nejlepší a nejdražší speciality. Samozřejmě, že mám taky řidiče, uklízečku a výborného doktora. Nakupuju jenom v luxusních obchodech. Jinak nic nedělám a nepracuju, jenom dvakrát za týden hraju sqash a plavu v bazénu. Často cestuju na Havaj, na Bahamy, do Ameriky a do Austrálie. Nejsem egoista a dávám peníze na charitu. Mám překladatele, který pro mě všechno překládá do češtiny. Ale pořád studuju češtinu, protože je to zajímavý jazyk.

7. Co dělá David dobře a co špatně? Diskutujte.

8. Dejte předchozí text do budoucího času. Pak napište, co budete dělat, když budete bohatý / bohatá jako David.

9. Dejte do budoucího času.

Například: jíme – budeme jíst

1. pracuju – _____
2. děláš – _____
3. vstáváte – _____
4. jsem – _____

_____

5. obědvá – _____
6. spím – _____
7. telefonujete – _____
8. uklízíme – _____
9. nemám – _____
10. je – _____
11. začíná – _____
12. znáte – _____
13. vidíš – _____

14. jsi – _____
15. odpočíváte – _____
16. máte – _____
17. odpočíváme – _____

18. jsou – _____
19. dělají – _____
20. cestuješ – _____
21. vařím – _____
22. plavou – _____
23. jsme – _____
24. lyžuju – _____
25. tancuješ – _____
26. vím – _____

10. Dejte slova v závorce do správného tvaru.

1. Jedu _____ (auto) do práce.

2. Jedeš _____ (autobus) nebo _____ (tramvaj)?

3. Jedeš _____ (áčko) nebo _____ (béčko)?

4. Nejedu _____ (kolo), jedu _____ (metro).

5. Dneska nemám peníze. Nemůžu jet _____ (taxík).

6. Bratislava je daleko. Pojedu tam _____ (vlak) nebo poletím _____ (letadlo).

7. Nemám auto. Musím jít _____ (pěšky).

11. Dejte slova v závorkách do správného tvaru. Nepoužívejte učebnici!

Těžký den

Filip Vlasák říká: Pátek byl těžký den. Jsem rád, že už je víkend. Ráno jsem vstával už v 5 hodin. Jel jsem na

_____ (letiště) a čekal jsem tam na pana profesora Higginse, který přiletěl z Kanady letadlem v 5:55.

S profesorem Higginsem jsme jeli na _____ (ekologická konference), kde

pan profesor analyzoval ekologickou situaci v Evropě. Celé dopoledne jsem organizoval konferenci, protože můj šéf

byl nemocný a musel jet na _____ (poliklinika). V poledne jsme šli na _____ (oběd) do

restaurace a pak na _____ (káva) do kavárny. Potom jsme jeli na _____ (ambasáda),

protože profesor Higgins potřeboval vízum do Ruska a nějaké oficiální dokumenty. Pak jsme šli na _____

(výstava) do galerie. Večer jsme jeli na _____ (večeře) do restaurace,

kde jsme jedli české speciality a pili výborné víno. Po večeři šli někteří lidé na

_____ (koncert), ale tam už jsem nešel, protože klasickou hudbu

nemám moc rád. Šel jsem domů a šel jsem spát. A víte, co jsem slyšel ráno? Že pan

profesor Higgins šel na _____ (diskotéka) a tancoval tam celou noc!

12. Dělejte věty.

Například: V sobotu nepůjdu do školy.

v sobotu		výlet
zítra		konference
v pondělí		schůze
dneska odpoledne	**jít**	rande
příští týden		hory
pozítří	**jet**	nákup
o víkendu		návštěva
příští měsíc	**letět**	koncert
ve středu		letiště
zítra ráno		policie
dneska večer		procházka

13. Doplňte prepozice *do, na* a *k*.

1. Jdu _____ nákup _____ supermarketu.

2. V sobotu jdu _____ výlet.

3. Pojedu autem _____ práce.

4. Jedeme _____ restaurace _____ večeři.

5. V pondělí pojedeme _____ Brna _____ konferenci.

6. Alice jde v neděli _____ návštěvu.

7. Příští víkend pojedeme _____ hory.

8. Ve středu večer půjdu _____ kina.

9. Zítra půjdu _____ babičce _____ návštěvu.

10. Zítra pojedu _____ hokej _____ Prahy.

11. Příští týden půjdeme _____ divadla.

12. Ve čtyři odpoledne pojedu _____ doktorovi.

13. Jdu _____ policii.

14. Jdeme _____ školy.

15. Půjdete dneska večer _____ procházku?

16. Jdeš _____ ambasádu?

17. Jedeš zítra _____ kina _____ nový film?

18. V sobotu půjdu _____ velký nákup!

19. Ve čtvrtek pojedu _____ divadla.

20. Nechceš jít zítra _____ kamarádce?

14. Monika bude v pondělí používat tyhle věci. Kam půjde? Co tam bude dělat?

15. Doplňte všechny prepozice, které znáte.

1. Včera jsem viděla kolo _____ 5 000 Kč.

2. Kupuju dárek _____ kamaráda.

3. Potřebuju nový šampon _____ vlasy.

4. Kde jsi? _____ dvacet minut budu v centru.

5. Viděla jsem hezký svetr _____ 500 Kč.

6. Chceš jít zítra _____ kávu?

7. _____ naši firmu to byl dobrý rok.

8. Už jedu domů! Budu tam _____ 5 minut.

9. Chceme dobré učitele _____ naši školu.

10. Používáš barvu _____ vlasy?

11. Potřebuju levné auto asi _____ 50 000 Kč.

12. Hledáte nějakou hezkou tašku _____ dceru?

13. Chtěli jsme jít _____ nákup, ale nemohli jsme.

14. Příští týden jedeme _____ dovolenou.

15. Ireno, budeš mít čas _____ domácí úkol?

16. Máš _____ mě hezký dárek?

17. Jsem v Praze _____ celý měsíc.

18. Už jedu do práce! Budu tam _____ 10 minut.

19. Nebudu doma, jedu _____ celý měsíc na dovolenou.

20. _____ tři minuty začíná lekce.

21. Chceš jet taky _____ výlet?

22. O víkendu půjdeme _____ diskotéku.

15. Kam půjdou / pojedou? Co tam budou dělat?

16. Napište proč.

1. V sobotu pojedu na nákup, protože _____

2. Dneska nepůjdu na oběd, protože _____

3. Poletím na dovolenou, protože _____

4. O víkendu pojedeme na výlet, protože _____

5. Pojedu na služební cestu, protože _____

6. Nepůjdu na diskotéku, protože _____

7. Půjdu na ten nový film, protože _____

8. Půjdeme na koncert, protože _____

9. Nepojedu na dovolenou, protože _____

10. Nepůjdu na balet, protože _____

11. Půjdu k doktorovi, protože _____

12. Nepoletím na Měsíc, protože _____

17. Napište v budoucím čase. Přidejte čas.

Například: pracovat – Zítra budu pracovat.

1. tancovat – ....

2. vařit polévku – ....

3. jet na hory – ....

4. být doma – ....

5. jít na výlet – ....

6. letět na konferenci – ....

7. nakupovat – ....

8. být ve škole – ....

9. jít do školy – ....

10. studovat češtinu – ....

18. Napište a dokončete příběh.

Lucie a její den

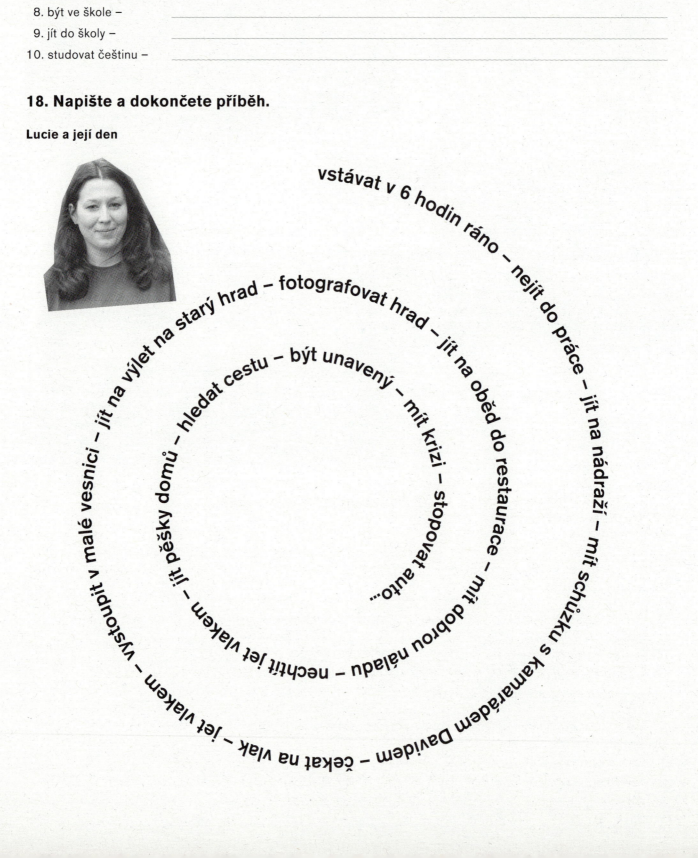

vstávat v 6 hodin ráno – nejít do práce – jít na nádraží – mít schůzku s kamarádem Davidem – čekat na vlak – jet vlakem – vystoupit v malé vesnici – jít na výlet na starý hrad – fotografovat hrad – jít na oběd do restaurace – mít dobrou náladu – nechtít jet vlakem – jít pěšky domů – hledat cestu – být unavený – mít krizi – stopovat auto...

Lekce 9

1. Dopište k obrázku slova. Jakou barvu můžou mít oči a vlasy?

vlasy

brýle

oči

pusa

prsty

břicho

nos

uši

nohy

2. Poslouchejte text *Kdo je kdo?* z učebnice. Opravte chyby.

Kdo je kdo?

A. Martin je vysoký, starší a trochu tlustý. Má velké černé oči a velký nos. Má vlasy, ale má velké ruce a velký elegantní knír. Martin je manažer.

B. Alena je stará elegantní paní. Má modré oči a bílé vlasy. Není štíhlá a má brýle. Je v důchodu, ale ještě pracuje v restauraci. Je moderní maminka.

C. Daniela je blondýnka, má malé modré oči, je vysoká a štíhlá. Vypadá jako Marylin Monroe. Je moc hezká a je modelka. Je asistentka a pracuje v kanceláři.

D. Jirka je štíhlý, skoro hubený. Je malý, má dlouhé ruce, dlouhé nohy a krátké vlasy. Má hezké hnědé oči. Nemá brýle. Vypadá jako hippie, ale je expert na auta.

E. Zdeňka není ani malá, ani velká, ani tlustá, ani hubená. Má hnědé oči, zelené vlasy, malé nohy a velký nos. Je ředitelka, ale teď nepracuje ve škole, protože má čtyři malé děti.

3. Podtrhněte správné odpovědi k textu *Laura a Sandra mají velké plány*.

1. Laura a Sandra jsou
a) studentky
b) herečky
c) prodavačky.

2. Studujou
a) ve škole
b) na univerzitě
c) v Praze

3. Dělají zkoušky
a) v květnu
b) v červnu
c) v červenci

4. Teď píšou
a) tlusté testy
b) velké testy
c) těžké testy

5. Venku je
a) krásné počasí
b) špatné počasí
c) normální počasí

6. Dobré studentky nemůžou myslet
a) na hezké kluky
b) na zajímavé filmy
c) na dobré zmrzliny

7. Laura a Sandra mají
a) malý plán
b) velké plány
c) velké problémy

8. Laura a Sandra chtějí v létě
a) cestovat
b) studovat
c) pracovat

9. Sandru a Lauru čekají
a) romantické lásky
b) studená moře
c) špatná vína

10. Opravdová láska je
a) dvě
b) tři
c) jedna

4. Jsou tato slova singulár, plurál nebo oboje?

vína	voda	káva	židle	auta	jídla	vesnice
počítač	pomeranče	nádraží	květiny	galerie	kanceláře	knihy
instituce	stoly	rádia	čaje	bakterie	náměstí
okna	pití	bary	města	učebnice	doktorka
nemocnice	domy	videa	hospoda	kina

5. Řekněte, co tam nepatří.

1. Jídlo jsou rohlíky, chleby, jogurty, guláše, sýry, salámy a kávy.
2. Léky jsou aspiriny, vitaminy, antibiotika, oční kapky a nosní kapky.
3. Kosmetika jsou make-upy, pleťová mléka, jogurty a krémy.
4. Zelenina jsou pomeranče, zelí, okurky, mrkve, špenáty a brokolice.
5. Hudební nástroje jsou flétny, violoncella, piana, kytary, saxofony a rádia.
6. Ovoce jsou banány, pomeranče, jablka, ananasy, papriky, manga a avokáda.

6. Řekněte v plurálu.

7. Dejte slova do plurálu.

1. Když cestuju, potřebuju (mapa, pas, lék, detektivka).

_____

_____

2. V Praze jsou (dům, kostel, kino, divadlo, most, ulice, obchod, tramvaj, auto, autobus, hotel, restaurace, kavárna).

_____

_____

3. Tady prodávají nábytek. Mají (stůl, lampa, gauč, obraz, křeslo, koberec, počítač, židle).

_____

_____

4. Rád čtu (detektivka, horor, časopis, dopis, e-mail).

_____

_____

5. Kupuju (rohlík, banán, sýr, vajíčko, jablko, mléko, jogurt, zmrzlina).

_____

_____

8. Doplňte do textu *Mobily – pro a proti* slova z tabulky ve správné formě.

textová zpráva		mít	dva		nesnášet	zvonit		esemeska
telefonovat	dvě		nebezpečný	mluvit		problém	používat	sestra

Jana říká: „Já myslím, že mobily jsou výborné! Když máte nějaké _____, můžete vždycky _____

s kamarády. Taky máte pořád nové informace. Ale nejlepší jsou _____ Všechny moje kamarádky mají mobily,

a tak si ve škole píšeme „_____“. V naší rodině _____ mobily všichni: rodiče i obě

_____ Mobily jsou perfektní. Já _____ dva mobily a můj přítel má taky dva. Bez mobilu

nemůžeme žít!“

Marta říká: „Mobilní telefony _____! Vím, že jsou situace, kdy můžou být praktické. Ale proč musí lidi

_____ v obchodě, v tramvaji nebo v restauraci? Já nechci poslouchat jejich _____! Nejhorší

jsou řidiči na ulici. Řídí a přitom telefonujou – a to je _____ Taky myslím, že každý člověk potřebuje být

někdy sám a nedostávat pořád nové a nové informace. Lidi myslí, že budou šťastní, když budou mít _____

auta, dvě televize, _____ mobily, ale… Jé, promiňte, _____ mi mobil!“

9. *Dva* nebo *dvě*? Podtrhněte správnou formu.

1. *dva / dvě* knihy
2. *dva / dvě* učebnice
3. *dva / dvě* auta
4. *dva / dvě* pokoje
5. *dva / dvě* sešity
6. *dva / dvě* knedlíky

7. *dva / dvě* knihovny
8. *dva / dvě* kávy
9. *dva / dvě* okna
10. *dva / dvě* čokolády
11. *dva / dvě* kanceláře
12. *dva / dvě* banány

10. Odpovídejte podle modelu. Používejte *dva / dvě.*

Například: Máš jednoho kamaráda? – Ne, mám **dva kamarády**

1. Máš jednoho bratra? _____
2. Máš jednu učitelku? _____
3. Chceš jednoho psa? _____
4. Potřebuješ jeden stůl? _____
5. Dáš si jeden guláš? _____
6. Chceš jeden čaj? _____
7. Máš jednu sestru? _____
8. Hledáš jednu kamarádku? _____
9. Dáš si jedno pivo? _____
10. Potřebuješ jedno auto? _____

11. Vaše kancelář byla vykradena. Co se ztratilo?

Zloději ukradli _____

_____

_____

_____

12. Poslouchejte dialogy z učebnice a opravte chyby.

1.
Doktor: Dobrý den, paní Burešová! Tak, proč jste smutná?
Paní Burešová: Pane doktore, bolí mě noha a v krku.
Doktor: Aha. A máte teplotu?
Paní Burešová: Mám jenom 40, ale bolí mě celé tělo a je mi dobře.
Doktor: No, asi to bude nějaká viróza. Musíte být tři měsíce doma, brát nějaké vitaminy a pít rum s medem a citronem.

2.
Paní Peštová: Dobrý den, paní učitelko. Lucka je nemocná, dneska ráno měla skoro 35.
Doktorka: Otevři pusu, Lucko! Aha. Hm... To je ošklivá angína. Musí jíst zmrzlinu. Nemá Lucka alergii na penicilin, paní Peštová?
Paní Peštová: Ne, žádnou alergii nikdy neměla.
Doktorka: A kdy měla zmrzlinu naposled?
Paní Peštová: Naposled měla Ampicilin, když byla malá, v roce 1999. Měla silnou bronchitidu.
Doktorka: Tak dobře. Bude brát tenhle lék jednou za šest hodin. Tady je recept, paní Peštová. Víte, kde je hospoda?
Paní Peštová: Tady dole, ne?
Doktorka: Ano. Za týden musíte přijít na kontrolu. A Lucka musí plavat a hodně pít!

3.
Doktorka: Co je vám, pane Janoušek?
Pan Janoušek: Bolí mě zub a je mi špatně.
Doktorka: A máte žízeň?
Pan Janoušek: Ano. Mám 38,5.
Doktorka: Aha... Myslím, že může být apendix. Zavolám sanitku a pojedete do školy.

4.
Doktor: Tak co čtete, paní Hrubešová?
Paní Hrubešová: Pane doktore, já mám takový problém. Tady dole nemám jeden zub. Příští měsíc budu mít rande, a tak chci mít všechno v pořádku.
Doktor: Samozřejmě, paní Hrubešová. Budete mít nový zub a budete zase ošklivá. A promiňte, ale... kolik vám bude let?
Paní Hrubešová: Bude mi osmnáct let, pane doktore, už osmnáct let.
Doktor: No, to je špatné, paní Hrubešová. Gratuluju.

13. Dělejte věty.
Například: ona – hlava: **Bolí ji hlava.**

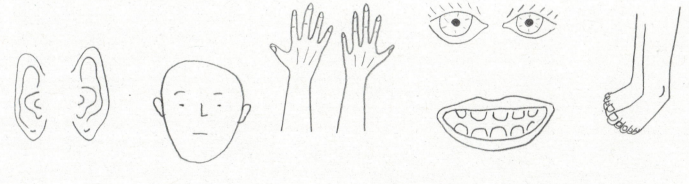

1. _____
2. _____
3. _____
4. _____
5. _____
6. _____
7. _____

1. já ucho   **2. ty zub**   **3. on nos**

4. my nohy   **5. ona hlava**

6. oni ruce   **7. vy oči**

14. Spojte čísla a písmena.

1. Co je ti?
2. Bolí tě zub?
3. Máš teplotu?
4. Co je vám?
5. Irenu bolí noha?
6. Jakuba bolí ucho?
7. Davida a Alenu bolí ruce?

A. Ne, bolí ho hlava.
B. Ne, nemám, ale není mi dobře.
C. Ano, bolí je ruce.
D. Ne, bolí ji zub.
E. Nic mi není, jsem v pořádku.
F. Ne, nebolí. Bolí mě hlava..
G. Je nám špatně.

15. Dokončete minidialogy.

1. _____
Nic mi není. Jsem jenom unavený.

2. _____
Ano, bolí mě hlava a celé tělo. Asi mám teplotu.

3. _____
Mám alergii na penicilin.

4. _____
Ne, nebolí.

16. Najděte ve slovníku slova z tabulky. Pak čtěte vtipy.

spaní	hodinky	žaludek	kůň	vyhrát	dostihy

Vtipy z ordinace
1.
„Pane doktore, co mám dělat? Můj manžel pořád mluví v noci ze spaní.“
„Milá paní, a může mluvit ve dne? Nemluvíte pořád jenom vy?

2.
„Pane, vy máte v žaludku hodinky!“ říká lékař pacientovi.
„Ano, už deset let.“
„A nemáte nějaké problémy?“
„Ne. Jenom když potřebuju nové baterie.“

3.
„Tak co je vám, pane Vokurka?“ říká psychiatr.
„Víte, já si pořád myslím, že jsem kůň.“
„To není těžká nemoc, ale musíte brát drahé léky. Máte peníze?“
„To nebude problém, pane doktore. Už jsem vyhrál čtyři dostihy!“

Lekce 10

1. Kam půjdete/pojedete příští týden a proč?

Po _____

Út _____

St _____

Čt _____

Pá _____

So _____

Ne _____

2. Slova v závorkách dejte do správného tvaru.

1. Příští týden pojedu na _____ (výlet) do _____ (Varšava).

2. V televizi není žádný zajímavý program. Půjdeme do _____ (kino)?

3. Příští týden nejdou děti do _____ (škola). Jedou na _____ (výlet).

4. Letos chceme jet na _____ (dovolená) do _____ (Itálie).

5. Daniela jela na rok do _____ (Amerika) jako au–pair.

6. Eva a Renata pojedou do _____ (Německo) na _____ (služební cesta).

7. Chtěla bych jet na týden na _____ (hora) na _____ (Slovensko).

8. O víkendu nepůjdeme na _____ (procházka).

9. Musím jet na _____ (policie) a na _____ (pošta).

10. Půjdeme zítra na _____ (ambasáda)?

11. Jdu na _____ (nádraží). Jedu do _____ (kino).

12. Nemáš hlad? Nechceš jít do _____ (restaurace) na _____ (oběd)?

13. To je smůla! Dneska večer chci jít do _____ (divadlo), ale bolí mě v krku a hlava.

14. Jdu do _____ (kino) na _____ (náměstí).

15. Chceš jít na _____ (koncert) nebo na _____ (diskotéka)?

16. Promiň. Odskočím si na _____ (toaleta).

17. Vlak do _____ (Moskva) jede v 7. 49.

18. V létě pojedu na _____ (Morava) a pak do _____ (Francie).

19. O víkendu pojedu na _____ (návštěva) na _____ (Slovensko).

20. Zítra pojedu taxíkem na _____ (letiště), protože letím do _____ (Polsko).

3. Dělejte otázky. Používejte kde, kam a odkud.

1. _____   – Jdu od doktora.

2. _____   – Profesorka je ve škole.

3. _____   – Jdu do obýváku.

4. _____   – Šli jsme do ložnice.

5. _____   – David jde ze školy.

6. _____   – Zítra budu celý den v práci.

7. _____   – O víkendu jedeme na hory.

8. _____   – Šli jsme z koncertu.

9. _____   – Byli jsme v centru.

10. _____   – Šla jsem od kamarádky.

4. Kam půjdou /pojedou Eva a Petr příští týden?

Eva

Petr

kosmetika
2.7. v 17.30

Salon Elegantia
Alena Cabanová – kosmetička
Krškova 807
Praha 5 – Barrandov
tel 205 816 868

ČAU EVO,
VE ČTVRTEK VEČER
JDU DO HOSPODY
S TOMEM.
PETR

			Červen - Červenec	
28	pondělí			5
29	úterý			6
30	středa			7
1	čtvrtek		Červenec	8
2	pátek			9
3	sobota			10
4	neděle			11

divadelní bar theatre bar **> červen** june

01	út	TUESDAY RAP **DJs** Kato + Skupla	
02	st	NYCAFE SESSION **DJs** Sunpaja + Milosh [funky house]	
03	čt	**DJs** Lillou + Brady [deephouse]	
04	pá	**DJs** Face [techno.cz] + Biscuit. live: Face 2 Face [orchestral house] Lucas Ross [guitar] + Nodjohn [sax] + Mataro [el. percusslons] & guests	ABSOLUT
05	so	LONDON UNDERGROUND **DJ** Kailer + Matoa + Panlan [djembe] & Jon Harper [Jew's harp] [dubstep, underground garage. electrobreaks, jungle]	
06	ne	PRO SOUND SYSTEM **DJs** Liquid A + Kryshpeen, Mc.Dr.Kary [reggae]	
07	po	VIVA LA MUSICA/ **DJ** Liquid A	
08	út	TUESDAY RAP **DJs** Jörgen + True	
09	st	**DJs** Picket + Foxx [essence of trance] + E.S.W.L. [dj mix praha]	
10	čt	M&GORS SOUNDSYSTEM [deephouse]	
11	pá	ECLECTICA, PRAHA – TABOR CONNECTION **DJs** Blue [eclectica] + Břlbtob [rzoto.org] + Mushroom [2b] + Klx [free dimension]	ABSOLUT
12	so	**DJs** Phillip TBC + Akira [breakbeat + drb]	
13	ne	PRO SOUND SYSTEM **DJs** Liquid A + Kryshpeen, Mc.Dr.Kary [reggae]	
14	po	VIVA LA MUSICA/ **DJ** Roman + Salezly [cubano, latino]	
15	út	TUESDAY RAP **DJs** Kato + Skupla	
16	st	**DJs** Stanzin + Tall [breaks, nu-jazz]	
17	čt	BLUESOUND **DJs** [deephouse]	
18	pá	**DJs** PC + La Roche [house]	ABSOLUT
19	so	BLACK DOG TURTLESQUAD DJS [breakbeat, buknmy.cz]	
20	ne	PRO SOUND SYSTEM **DJs** Liquid A + Kryshpeen, Mc.Dr.Kary [reggae]	
21	po	VIVA LA MUSICA/ **DJs** Tony Ozuna + Dougyro [electro latino & nu-jazz]	
22	út	TUESDAY RAP **DJs** Emmitt & friends	
23	st	**DJs** Chili + Polygon [house]	
24	čt	VINYL ADDICTION **DJs** Lana + Trnqua [vinyl.cz]	
25	pá	NYCAFE SESSION **DJs** Sunpaja + Milosh [funky house]	ABSOLUT
26	so	**DJs** Yukimura + Z-Aires [electro tek – breaks]	
27	ne	PRO SOUND SYSTEM **DJs** Liquid A + Kryshpeen, Mc.Dr.Kary [reggae]	
28	po	VIVA LA MUSICA/ **DJ** Joko [latino]	
29	út	TUESDAY RAP **DJs** Jörgen + True	
30	st	COTTAGE **DJs** tut + call.da + juan [house, deephouse]	

Zveme všechny kamarády na

OSLAVU NAROZENIN

Kdy? 4. 7. 2004
Kde? Na zahradě u nás
Kdo? Roman a Jana

schůzka
29.6. v 11.15

Čau Petře,
jdu plavat
a pak na
aerobic.
Měj se fajn
Eva

(3.7.)

Ivonna Varyšová, DiS.
brenní kotzy

Bilovská 3
140 00 Praha 4
tel./fax: 02 / 64 26 40 26
www.akcent.cz
e-mail: ivonna@akcent.cz

AKCENT
INTERNATIONAL HOUSE PRAGUE

Národní ✳ **divadlo**

nákup Delvita (50)
4 jogurty
půl chleba
3 rohlíky
brokolice
minerálky
<u>**PIVO**</u> !!!
SALÁM

KONZULTACE 29.6. <u>10h</u>!

prof. Aleš Zíma

Katedra algebry MFF UK
Jiráskovo náměstí 5, Praha 6
tel.: 277 335 846

5. Jste architekt a plánujete město. Řekněte, jak se obchody na plánu jmenují a kde jsou. Používejte prepozice *u, vedle, kolem, uprostřed* a *blízko*.

Například: Co bude vedle banky? – Vedle banky bude škola.

banka

6. Řekněte slova ve správné formě.

Chtěl bych bydlet blízko (park, řeka, zastávka, hospoda, metro, restaurace, moře).
Nechtěl bych bydlet blízko (supermarket, hotel, hospoda, řeka, diskotéka, letiště, restaurace, parkoviště, nádraží).
Bydlím vedle (obchod, hostel, park, škola, banka, pošta, cukrárna, restaurace).
Nemůžu žít bez (sport, mobil, káva, kokakola, čokoláda, televize, auto, pivo, víno).
Jeli jsme do školy kolem (park, supermarket, řeka, hospoda, kino, metro, restaurace, letiště, nádraží, moře.)
Šli jsme domů kolem (strom, bazén, hotel, supermarket, řeka, hospoda, restaurace, divadlo, kino).

7. Kde bydlí?

1. Eva bydlí u _____ (místo, kde řidiči kupují benzín pro auta).

2. John bydlí blízko _____ (místo, kde kupujeme jídlo a pití).

3. Laura bydlí u _____ (místo, odkud lidi posílají telegramy, dopisy a balíky).

4. David a Jarmila bydlí vedle _____ (místo, kde lidi v létě plavou).

5. Mai bydlí blízko _____ (místo, kde kupujeme šampony, mýdla, zubní pastu a kosmetiku).

6. Abdul bydlí u _____ (místo, kde můžete vidět komedie, tragédie, nebo jiné hry).

7. Dana bydlí u _____ (místo, kam lidi jdou, když jsou nemocní).

8. Jan bydlí uprostřed _____ (místo, kde jsou stromy a hrajou si tam děti).

9. Evžen bydlí blízko _____ (místo, kde studujou studenti).

10. Kateřina a Ivan bydlí vedle _____ (místo, kde můžeme jíst a pít).

8. Doplňte věty. Používejte prepozice *u, vedle, blízko*.

1. Náš dům je _____ velké školy.

2. Nemám byt. Musím bydlet _____ babičky.

3. Bydlím _____ cukrárny.

4. V divadle jsem seděla _____ maminky.

5. Pozítří budu celý den _____ kamarádky.

6. Včera jsem nemohl jít do školy, protože jsem byl _____ doktorky.

7. Banka je _____ nádraží.

8. Hledám nový byt, protože nechci bydlet _____ sestry.

9. V létě jsme byli _____ moře v Itálii.

10. Budu ve škole za pět minut. Bydlím _____ školy.

9. Najděte a podtrhněte genitiv sg.

1. V našem městě jsou tři divadla. Dneska večer jdu do divadla. Bydlím blízko divadla.
2. Bydlím vedle školy. V naší ulic jsou dvě školy. Čekám u školy.
3. Chceš jít dneska večer do kina? Divadla jsou lepší než kina. Naše škola je vedle kina.
4. Každý den kupuju dvě mléka. Piju čaj bez mléka.
5. Čekám tady na kamarádky. Nepůjdu do kina bez kamarádky. Seděl jsem ve škole vedle kamarádky.
6. Jdu do školy kolem divadla. Jaká divadla vidíte na mapě?
7. Mám dobré kamarádky. Jdu na výlet bez kamarádky.

10. Spojte písmena a číslice.

1. Chceš čaj bez cukru nebo s cukrem?
2. Bydlíš u kamaráda?
3. Chceš bydlet blízko parku?
4. Můžeš žít bez televize?
5. Bydlíš blízko školy?
6. Jedeš do supermarketu?

A. Ano. Mám rád přírodu.
B. Ano. Už nemám doma žádné jídlo a pití.
C. Ne. Miluju telenovely.
D. Bez cukru, ale s citronem.
E. Ne, teď bydlím u sestry.
F. Ne. Musím jet asi 35 minut autobusem.

11. Doplňte genitiv sg. a akuzativ sg.

1. Kouřím cigarety bez _____ (nikotin).
2. Pracuju blízko _____ (parlament).
3. Mám tady dárek pro _____ (babička).
4. Chodím kolem _____ (obchod).
5. Ta restaurace je vedle _____ (banka).
6. Jdu do _____ (hospoda) na _____ (pivo).
7. Půjdeme do _____ (kavárna) na _____ (káva)?
8. V sobotu jdu do _____ (práce).
9. Včera jsem byla u _____ (sestra).
10. Rád se dívám na _____ (detektivka).
11. Dělám oběd pro _____ (manželka).
12. Uprostřed _____ (město) je malý park.
13. Jedeme na _____ (výlet) do _____ (Brno).
14. Nemám rád kávu bez _____ (kofein)
15. Jdu na procházku bez _____ (kamarádka).
16. Čekám na tebe vedle _____ (kasino).
17. Mám krásný dárek pro _____ (dcera).
18. Co kupuješ na Vánoce pro _____ (maminka)?
19. Půjdeme do _____ (banka) a do _____ (nemocnice).
20. Chceš kávu bez _____ (cukr a mléko)?

12. Studujte nová slova z lekce 10. Spojte čísla a písmena.

1. Chtěl bych pokoj pro dva lidi.
2. Hledám kufr a tašku.
3. Jsem sám a nepotřebuju dvě postele.
4. Dávám do kufru svetr, toaletní potřeby a pyžamo.
5. Chci bydlet v dobrém hotelu nebo penzionu.
6. Chtěl bych snídat a večeřet v hotelu.
7. Nechci jíst v hotelu oběd, večeři ani snídani.

A. Balím si věci na cestu.
B. Chtěl bych polopenzi.
C. Prosím rezervovat dvoulůžkový pokoj.
D. Hledám kvalitní ubytování.
E. Chci jednolůžkový pokoj.
F. Kde jsou moje zavazadla?
G. Nechci plnou penzi.

13. Doplňte prepozice.

Denisa je mladá manažerka. V létě jela na dovolenou do Itálie. Z Itálie píše dopis mamince.

Ahoj, mami!

Zdravím tě _____ Itálie! Přijela jsem včera v poledne. Bydlím _____ Livionne. Ubytování je dobré – hotel je _____ moře. V hotelu je restaurace, bar, fitness centrum a _____ hotelu je bazén. S kamarádkou máme hezký dvoulůžkový pokoj s balkonem. V restauraci máme polopenzi a _____ oběd si kupujeme nějaké ovoce. Teď plánujeme, co budeme celý týden dělat. Nechci jenom od rána do večera plavat a opalovat se. Chtěla bych taky jet _____ nějaký výlet. Asi pojedeme _____ města Ravenny, které je odtud asi 20 kilometrů. Pojedeme taky _____ Florencie. _____ pátek plánujeme malý výlet lodí _____ nějaký ostrov. O víkendu půjdeme _____ pizzerie a _____ diskotéku _____ klubu a asi půjdeme _____ nějaký koncert. _____ Livionne odjedeme _____ 5 hodin odpoledne a domů _____ Prahy přijedeme _____ neděli ráno. Jsem ráda, že nejdu _____ práce – budu celý den spát. _____ pondělí budu mít _____ kanceláři hodně práce. V úterý pojedu _____ Brna _____ konferenci. To je _____ Itálie všechno. Jsem moc ráda, že jsem jela. Měla jsi pravdu – dovolená _____ moře pro moje záda ideální!

Jo, mám _____ tebe krásný dárek!

Měj se fajn a pozdravuj všechny doma.

Tvoje Denisa

14. Odpovídejte.

1. Kde je Denisa?
2. Co je v hotelu?
3. Co je u hotelu?
4. Kam chce Denisa jet?
5. Kdy přijede do Prahy?
6. Kam jede potom?
7. Proč je Denisa ráda, že je u moře?
8. Co myslíte, jaký dárek má pro maminku?

15. Napište / řekněte dialog na téma:

1. Denisa přijela domů a dává dárek mamince.
2. Denisa je v práci a říká kolegům, jakou měla dovolenou.
3. Denisa plánuje s kamarádkou další dovolenou.

16. Pište.

Denisa měla špatnou dovolenou. Píše nový dopis mamince.

17. Studujte nová slova z lekce 10. Spojte čísla a písmena.

1. Poloha
2. Ubytování
3. Stravování
4. Služby
5. Doprava
6. Cena

A. Kolik to stojí?
B. Kde a kdy budu jíst?
C. Jak tam pojedu?
D. Kde a jak budu bydlet?
E. Co tam můžu dělat?
F. Kde je hotel?

18. Vyberte si dovolenou z následujících inzerátů.

Cestovní kancelář SLUNCE

Kréta, město Maleme

Poloha: hotel FIDO *** se nachází v klidné zóně letoviska, pouze 30 metrů od pláže a 400 metrů od centra. Vhodné zejména pro rodiny s dětmi.

Ubytování: dvoulůžkové pokoje s vlastním sociálním zařízením (WC, koupelna), ledničkou, klimatizací a balkonem.

Stravování: polopenze: snídaně – švédské stoly, večeře – švédské stoly se salátem a ovocem. Je možné dokoupit obědy.

Služby: recepce, směnárna, restaurace, bar, velký bazén a malý bazének pro děti, elektronické hry pro děti zdarma. Na pláži vodní sporty, tenis, minigolf (za poplatek)

Doprava: letecky

Cena za jeden týden: 19 590,–, dítě 15 190,–

Cestovní kancelář Pobyt Tour

Šumava, Špičák

Poloha: Hotel Karlson*** je v nadmořské výšce 1000 metrů, blízko východiště turistických tras. Kolem hotelu je ideální terén na lyžování a horská kola.

Ubytování: dvoulůžkové pokoje se sprchou, WC, ledničkou, televizí a satelitem.

Stravování: snídaně – švédský stůl nebo polopenze za příplatek.

Služby: (za příplatek) fitness centrum, hotelový bazén, masáže a rehabilitační kúry, squash.

Doprava: vlastní nebo autobusem až k hotelu

Cena za 1 týden: 10 350,–

Cestovní kancelář LIDO

Mexiko, Cancun

Poloha: hotel Paradiso**** je situován blízko laguny Karibia vedle velkého golfového areálu. Hotel má vlastní pláž.

Ubytování: dvoulůžkové pokoje s klimatizací, televizí, satelitem, telefonem, minibarem a sejfem na drobné cenné věci.

Stravování: kontinentální snídaně v ceně. Restaurace s mexickou a internacionální kuchyní.

Služby: dva tenisové kurty, plážový volejbal, fitness centrum, hala na aerobic, surfování, vodní sporty. Tropická zahrada a bazén. Denně zábavný program – kabaret.

Doprava: letecky

Cena za jeden týden: 39 490,– dítě 17 990,–

Lekce 11

1. Najděte 10 prepozic, které „potřebují" genitiv.

B	Z	M	K	O	X	S	A	E	Z
E	S	U	R	Q	D	O	I	Y	W
Z	B	P	F	L	E	X	B	W	O
R	S	R	R	P	K	O	L	E	M
K	C	O	G	A	A	W	I	Q	E
Z	Y	S	J	V	H	F	Z	V	A
O	D	T	N	E	Q	D	K	R	F
Q	X	R	S	D	N	V	O	O	P
E	E	R	X	L	O	J	CH	I	L
A	V	D	T	E	Y	M	Q	J	U
X	M	O	A	W	P	O	D	L	E

2. Spojte čísla a písmena.

1. Jedu do školy,
2. Chci čaj bez cukru,
3. Chtěla bych bydlet blízko řeky,
4. Nechci sedět vedle Martina,
5. Dostala jsem od kamaráda dárek,
6. Pracuju od rána do večera,

A. protože cukr nemám rád.
B. protože mám narozeniny.
C. protože není můj kamarád.
D. protože mám lekci angličtiny.
E. protože potřebuju peníze.
F. protože miluju vodu.

3. Doplňte do textu prepozice.

Historky ze života

1. Jsem učitelka a pracuju _____ mateřské škole. Jednou přišel _____ třídy ředitel a dal mi šek _____ peníze. Děti to viděly a jeden malý kluk říkal: „Paní učitelko, vy si tady pořád jenom hrajete _____ dětmi. Ale kdy pracujete?"

2. Je mi 50 let a mám dva vnuky. Bydlíme _____ Praze a já často říkám, že Praha je krásné historické město. Můj mladší vnuk jednou říkal: „Babičko, ty jsi stará jako Praha?" – „To nic není," říkala moje kamarádka, když to slyšela. „Můj vnuk chtěl vědět, jestli pamatuju dinosaury."

3. Moje kamarádka má krásnou malou dceru, která má velké černé oči a kudrnaté černé vlasy jako její tatínek. Jednou kamarádka nakupovala _____ supermarketu. Když platila _____ pokladny, prodavačka říkala: „Máte moc krásnou holčičku, paní." Kamarádka byla ráda, ale prodavačka pokračovala: „A je opravdu vaše?"

4. Opakujte všechny prepozice. Doplňte je.

1. Zítra nebudu doma. Pojedu _____ výlet _____ Brna.

2. Včera jsem byl _____ restauraci.

3. Můj kamarád bydlí _____ Bratislavě, ale studuje _____ Praze.

4. Odkud jsi? _____ Anglie nebo _____ Ameriky?

5. Koupila jsem krásný svetr _____ 700 korun. Bude to hezký dárek _____ sestru _____ Vánoce.

6. _____ hotelu je banka.

7. Dneska mi telefonoval bratr. Přijede _____ České republiky.

8. Bolí mě břicho. Musím jít _____ doktorovi.

9. Když jsem šel _____ doktora, viděl jsem tě _____ hotelu.

10. Příští měsíc pojedeme _____ služební cestu _____ Bruselu. Musím připravit dokumenty _____ šéfa.

11. _____ divadle jsem seděl _____ pána, který spal.

12. Máš rád čaj s mlékem, nebo _____ mléka?

13. Už jsem dlouho nebyla na návštěvě _____ babičky a _____ dědečka.

14. Půjdeš s maminkou _____ nákup _____ centra? Nebo půjdeš se mnou _____ procházku?

15. Dostala jsem _____ manžela krásný parfém _____ 1 000 korun.

16. _____ koho máš ten velký dort? – _____ moji kamarádku.

17. Nemám peníze _____ byt, a proto bydlím _____ tety. Teta je _____ rána _____ večera _____ práci.

18. Nikdy nepiju whisky – ani s ledem, ani _____ ledu.

19. _____ centru je ošklivý supermarket. Nechci bydlet _____ supermarketu.

20. O víkendu půjdu _____ návštěvu _____ bratrovi.

5. Opakujte akuzativ sg. a genitiv sg. Doplňte správné formy.

1. Mám rád _____ (káva), ale nemám rád _____ (kola), protože je moc sladká.

2. Můj šéf potřebuje _____ (sekretářka) nebo _____ (asistentka).

3. V pondělí a ve středu půjdu do _____ (škola) a do _____ (knihovna).

4. Zítra nepůjdu na _____ (schůzka) ani do _____ (kino), protože jsem nemocný.

5. Hledáš _____ (velký dům), nebo _____ (malý dům)?

6. Včera jsem jel do _____ (lékárna) a na _____ (nákup).

7. Budeš čekat vedle _____ (banka), nebo vedle _____ (škola)?

8. Máš _____ (syn) nebo _____ (dcera)?

9. Chcete jít do _____ (kavárna), nebo do _____ (cukrárna)?

10. Jdeš do _____ (divadlo), nebo na _____ (koncert)?

11. Měli jsme _____ (polévka) a _____ (čaj).

12. Hledáte _____ (pan Novák) nebo _____ (pan Horák)?

6. Spojte čísla a písmena.

| 1. krabička | 2. sáček | 3. láhev | 4. sklenice | 5. krabice |

7. Jdete na nákup. Co kupujete?

Například: Kupuju **sáček** mouky, **krabici** cukru, **sklenici** medu, **láhev** piva...

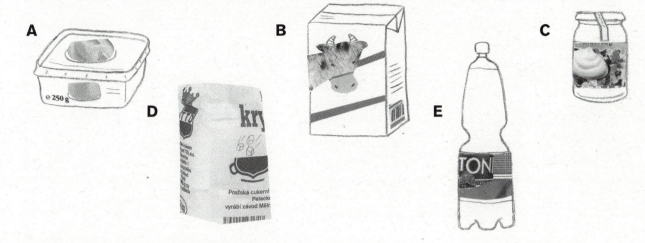

A B C D E

8. Dělejte otázky podle modelu.

Například: Kupuju kávu. – Kolik **kávy** kupuješ?

1. Potřebuju vodu. – Kolik _____ potřebuješ?

2. Nemám mouku. – Kolik _____ potřebuješ?

3. Mám polévku. – Kolik _____ máš?

4. Kupuju víno. – Kolik _____ kupuješ?

5. Chtěla bych šlehačku. – Kolik _____ chceš?

6. Chci mléko. – Kolik _____ chceš?

7. Mám čas. – Kolik _____ máš?

8. Dám si cukr. – Kolik _____ si dáš?

9. Kupuju salám. – Kolik _____ kupuješ?

10. Chtěla bych šunku. – Kolik _____ chceš?

11. Potřebuju džus. – Kolik _____ potřebuješ?

12. Mám rád kečup. – Kolik _____ máš rád?

13. Piju mléko. – Kolik _____ piješ každý den?

14. Mám ráda máslo. – Kolik _____ chceš?

15. Dám si chleba. – Kolik _____ si dáš?

16. Miluju sýr. – Kolik _____ chceš na špagety?

9. Dokončete věty.

Například: Mám rád omáčku. Chtěl bych ještě trochu **omáčky**.

1. Už nemám doma cukr. Kupuju kilo _____.

2. Máte doma kávu? Potřebuju asi 2 lžičky _____.

3. Mám ráda kakao. Každé ráno piju dva hrnky _____.

4. Mám ráda čokoládu. Dám si ještě kousek _____.

5. Tady je můj lék. Kolik _____ musím brát?

6. Kde je to víno? Mám chuť na trochu _____.

7. To je mléko. Když jdu spát, vždycky piju hrnek _____.

8. Máte rádi med? Tady je sklenice _____.

10. Spojte čísla a písmena. Používejte slovník.

Kuchař vaří oběd. Co dělá? Co ještě můžete krájet, smažit... ?

1. krájet /nakrájet – cibule	2 smažit /usmažit – vejce	3. míchat/zamíchat – krém
4. péct*/upéct* – maso	5. lít*/nalít* – voda	6. dusit/udusit – rýže

A.

B.
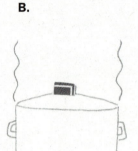

C.
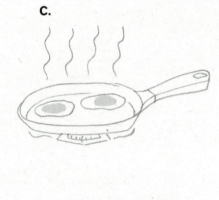

D.

E.

F.

11. Čtěte. Používejte slovník.

Vaříte rádi? Teď, když znáte genitiv, můžete používat české recepty. DOBROU CHUŤ!

Rychlé špagety
Potřebujete špagety, trochu oleje, dva pórky, čtvrt litru šlehačky, trochu soli a pepře a kousek sýra (Eidam nebo parmazán). Vaříte špagety. Nakrájíte pórek. Chvíli dusíte pórek, pak přidáte šlehačku a ještě trochu dusíte. Potom tam dáte trochu soli, trochu pepře a vařené špagety. Nahoru dáte sýr.

Čočkový salát
Potřebujete asi půl kila čočky, sklenici majonézy, trochu soli a jeden pórek (+ tofu, salám, cibuli, slaninu, vajíčka…). Vaříte čočku, a když je měkká, vylijete vodu pryč. Když je čočka studená, přidáte tam majonézu a sůl. Pak nakrájíte pórek a dáte tam taky pórek. (Taky můžete přidat to, co máte doma: tofu, salám, cibuli, slaninu, vajíčko...) Pak všechno zamícháte a salát je hotový. Nejlepší je studený.

Kuře na zelí
Potřebujete dvě až tři sklenice kyselého zelí, jeden kelímek šlehačky, kuře a grilovací koření. Kuře nakrájíte na kousky velké jako porce a dáte na ně grilovací koření (hodně). Do formy dáte zelí a na zelí kuře. Pak na všechno nalijete šlehačku a pomalu pečete v troubě. Kuře na zelí je výborné s bramborovým knedlíkem.

12. Dělejte otázky podle modelu.

Například: Čí je ten kabát? **Tatínka** nebo **maminky**?

1. Čí je ten slovník? (student, profesor)
2. Čí je ta taška? (učitelka, studentka)
3. Čí je to kolo? (bratr, sestra)
4. Čí je ten dům? (babička, teta)
5. Čí je ta iniciativa? (prezident, premiér)

6. Čí je ten plán? (šéf, asistent)
7. Čí je ta hračka? (dcera, syn)
8. Čí je ten sešit? (holka, kluk)
9. Čí je ten nápad? (asistent, asistentka)
10. Čí je ten svetr? (student, učitelka)

13. Dělejte otázky pro učitele/jiné studenty. Čí jsou ty věci?

batoh	tužka		učebnice	kabelka		stůl
	židle	sešit		diář	hrnek	
počítač		sklenice		taška		peněženka

14. Hádejte, kdo je kdo. Podtrhněte formy genitivu singuláru. Řekněte, jak se ti slavní Češi jmenujou.

50 Kč   500 Kč   200 Kč   5000 Kč

1000 Kč   100 Kč   2000 Kč

Na bankovce 500 korun		portrét prezidenta T. G. Masaryka.
Na bankovce 5 000 korun		portrét historika Františka Palackého.
Na bankovce 100 korun		portrét spisovatelky Boženy Němcové.
Na bankovce 2 000 korun	**je**	fiktivní portrét svaté Anežky České.
Na bankovce 200 korun		portrét učitele Jana Ámose Komenského.
Na bankovce 50 korun		fiktivní portrét krále Karla IV. (čtvrtého)
Na bankovce 1 000 korun		portrét zpěvačky Emy Destinnové.

15. Používejte genitiv.

Například: písnička (Sting) – písnička **Stinga**

1. socha (Abraham Lincoln)
2. opera (Benjamin Britten)
3. plán (Franklin Roosevelt)
4. obraz (Pablo Picasso)
5. socha (Michelangelo)
6. socha (Svoboda) v New Yorku.
7. katedrála (svatý Vít)
8. tragédie (William Shakespeare)
9. politika (Winston Churchill)
10. kostel (svatá Barbora)
11. koncert (Peter Gabriel)

12. písnička (Madonna)
13. drama (Henrik Ibsen)
14. román (Michail Bulgakov)
15. opera (Antonín Dvořák)
16. román (Victor Hugo)
17. aktivita (Martin Luther King)
18. symfonie (Ludwig van Beethoven)
19. poezie (Emily Dickinsonová)
20. kniha (Virginie Wolfová)
21. verše (Anna Achmatovová)
22. politika (Margaret Tchatcherová)

16. Znáte celebrity? Řekněte, kdo to je / byl. Hledejte příbuzenské vztahy.

Například: Hillary Clintonová je manželka Billa Clintona.

Chelsea Clintonová – Bill Clinton	**princ Charles – královna Alžběta**
Jennifer Anistonová – Brad Pitt	**„Posh Spice" – David Beckham**
Jerry Hallová – Mick Jagger **Cherrie Blairová – Tony Blair**	**Yoko Ono – John Lennon**
Danny Moder – Julia Robertsová	**Tom Lee – Pamela Andersonová**
Catherine Zeta Jonesová – Michael Douglas	**princ Henry – královna Alžběta**

17. Dělejte věty podle modelu. Definujte příbuzenské vztahy.

Například: Tchyně je maminka manžela nebo manželky.

1. Tchán je _____

2. Švagr je _____

3. Švagrová je _____

4. Teta je _____

5. Strýček je _____

6. Bratranec je _____

7. Sestřenice je _____

8. Babička je _____

9. Dědeček je _____

18. Podtrhněte správnou možnost/možnosti. Diskutujte s učitelem o významu.

1. Viděl jsem portrét *slavný prezident / slavného prezidenta / od slavného prezidenta / z slavného prezidenta.*
2. To je fotografie *z maminky / od maminky / maminky / maminka.*
3. Jdu na koncert *populárního zpěváka / z populárního zpěváka / populární zpěvák / od populárního zpěváka.*
4. Mám slovník *od anglického jazyka / z anglického jazyka / anglického jazyka / pro anglický jazyk.*
5. Poslouchám písničky *od Johna Lennona / Johna Lennona / z Johna Lennona / John Lennon.*
6. Mám model *od Christiana Diora / z Christiana Diora / Christian Dior / Christiana Diora.*
7. Čtu bestseller *ze známého autora / známý autor / známého autora / od známého autora.*
8. Dostal jsem krásný dárek *od manželky / manželky / z manželky / manželka.*
9. Znáš obrazy *Pablo Piccasso / od Pabla Piccassa / z Pabla Piccassa / Pabla Piccassa.*
10. Viděl jsem film *Stephena Spilberga / z Stephena Spilberga / od Stephena Spilberga / Stephen Spilberg.*

19. Čí jsou ta slavná díla? (Kdo je jejich autor)?

1. Diktátor je film _____

2. Guernica je obraz _____

3. David je socha _____

4. V Sixtinské kapli je freska _____

5. Mona Lisa je obraz _____

6. Óda na radost je hudba _____

7. Fool on the hill je písnička _____

8. Sagrada Familia je kostel _____

9. Psycho je film _____

Lekce 12

1. Doplňte slovesa.

Co dělali / udělali?

1.

Babička _____ čaj.

2.

Student _____ knihu.

3.

Sekretářka _____ dopis.

4.

Sestra _____ pokoj.

5.

Kamarád _____ dům.

6.

Mechanik _____ auto.

7.

Sestra _____

8.

Babička _____ čaj.

9.

Student _____ knihu.

10.

Matka _____ oběd.

11.

Sekretářka _____ dopis.

12.

Kamarád _____ dům.

13.

Manžel _____ nádobí.

14.

Matka _____ oběd.

15.

Mechanik _____ auto.

16.

Manžel _____ nádobí.

2. Doplňte do tabulky imperfektivní slovesa. Pak doplňte do cvičení perfektivní slovesa.

_____ / uvařit	_____ / přečíst*	_____ / udělat
_____ / uklidit	_____ /sníst*	_____ / vypít*
_____ / napsat*	_____ / umýt*	_____ / koupit
_____ / opravit	_____ / telefonovat	_____ / zaplatit

1. Jíš oběd? – Ne, už jsem ho _____

2. Piješ kávu? – Ne, už jsem ji _____

3. Vaříš oběd? – Ne, už jsem ho _____

4. Děláš domácí úkol? – Ne, už jsem ho _____

5. Uklízíš byt? – Ne, už jsem ho _____

6. Čteš knihu? – Ne, už jsem ji _____

7. Myješ nádobí? – Ne, už jsem ho _____

8. Píšeš e-mail? – Ne, už jsem ho _____

9. Kupuješ dům? – Ne, už jsem ho _____

10. Opravuješ rádio? – Ne, už jsem ho _____

3. Napište, co udělali. Dokončete věty. Najděte víc možností.
Například: Kolegyně **uvařila/vypila/koupila** čaj.

1. Malíř _____ obraz.

2. Mechanik _____ auto.

3. Maminka _____ nádobí.

4. Prodavačka _____ nový kabát.

5. Kluk _____ oběd.

6. Sekretářka _____ dopis a šla domů.

7. Sestra _____ nový dům.

8. Kamarádka _____ dárek.

napsat   koupit

sníst*   prodat

vypít*

opravit   namalovat

dostat*   uvařit

umýt*

4. Podtrhněte správnou formulaci, která předchází další větě.
Například: Jana vařila polévku. **Jana uvařila polévku.** – Teď může polévku jíst.

1. Učitel opravoval test. Učitel opravil test. – Byl rád, že celém testu byla jenom jedna chyba.
2. Četl jsem detektivku. Přečetl jsem detektivku. – Už vím, kdo byl vrah.
3. Petr prodával auto. Petr prodal auto. – Ještě nevím, jestli jeho auto někdo koupil.
4. Sekretářka psala dopis. Sekretářka napsala dopis. – Pak šla na poštu a dopis poslala.
5. Manžel myl nádobí. Manžel umyl nádobí. – Všechno nádobí bylo čisté.
6. Kupoval jsem svetr v supermarketu. Koupil jsem svetr v supermarketu. – Svetr jsem chtěl, ale nemám ho.
7. Maminka vařila oběd. Maminka uvařila oběd. – Nevím, jestli už je oběd hotový.
8. Kamarádka pila minerálku. Kamarádka vypila minerálku. – Ještě má minerálku a nemusí kupovat novou.
9. Bratr uklízel byt. Bratr uklidil byt. – Už je hotový a může odpočívat.
10. Babička prala prádlo. Babička vyprala prádlo. – Ještě není hotová a nemůže odpočívat.

5. Plánujte, co uděláte. Dělejte věty.

Například: Příští měsíc **zaplatím** účet za byt.

příští měsíc	dělat/udělat	dopis
o víkendu	psát*/napsat*	jídlo a pití
příští týden	platit/zaplatit	staré auto
zítra	kupovat/koupit	nový dům
v pondělí	číst*/přečíst*	všechno jídlo
příští rok	prodávat/prodat	dobrý oběd
v neděli	prát*/vyprat*	špinavý svetr
do konce týdne	vařit/uvařit	pizza nebo špagety

_____
_____
_____
_____
_____
_____
_____
_____
_____
_____
_____
_____

6. Plánujte váš vlastní program.

Příští měsíc _____

O víkendu _____

Příští týden _____

Zítra _____

V pondělí _____

Příští rok _____

V neděli _____

Do konce týdne _____

7. Doplňte výrazy z tabulky.

a taky	ale	protože	nebo	a pak

1. Uvaříš večeři, _____ jenom uděláš salát?

2. Uvařím polévku _____ umyju nádobí.

3. Malá Lucinka napíše domácí úkol, _____ nenapíše dopis, protože je unavená.

4. Jana přečte detektivku, _____ bude vědět, kdo je vrah.

5. Vyperu prádlo, _____ je všechno špinavé.

8. Čtěte. Pozorujte zvýrazněná slovesa v budoucím čase.

Lucie plánuje víkend

Lucie Sklenaříková plánuje pátek odpoledne a víkend. „**Bude** to takový normální, ale hezký víkend," říká. „V pátek odpoledne **budu** v práci, ale pak **půjdu** do centra. **Koupím** si nějakou kosmetiku, jídlo a asi taky nějaký svetr. Potom **půjdeme** s kamarádkou plavat do bazénu. **Budeme plavat** asi dvě hodiny. Pak **půjdeme** do restaurace, ale **dáme si** jenom lehkou večeři. V sobotu **budu spát** minimálně do deseti hodin. Dopoledne **budu uklízet** a **mýt** okna. Až **umyju** okna a **uklidím**, **půjdu** na oběd s přítelem. Když **bude** odpoledne hezké počasí, **pojedeme** někam na výlet nebo **půjdeme** na dlouhou procházku. Když **bude** špatné počasí, **nebudeme** doma, ale **půjdeme** na nějakou výstavu. Večer asi **půjdeme** do kina, nebo **uvaříme** něco dobrého a **budeme se dívat** na televizi. V neděli ráno **půjdeme** do kostela. **Uvidím** tam kamarády a asi **budeme plánovat** akce na léto. Pak **půjdu** na návštěvu k mamince. Maminka **uvaří** nějaké dobré jídlo. **Sním** všechno, protože to bude výborné. Odpoledne **půjdu** domů a **budu se učit** angličtinu. **Napíšu** domácí úkoly a **naučím se** novou gramatiku. A **bude** večer a víkend **bude** pryč."

9. Napište otázky k textu.

_____

_____

_____

_____

_____

_____

10. Vyberte z textu podtržená slovesa v budoucím čase a doplňte je do tabulky.

Budu doma.	Budu pracovat.	Půjdu na výlet.	Uvařím oběd.

11. Spojte čísla a písmena.

1. Už jsem napsal domácí úkol.
2. Už nechci číst!
3. Umyla jsem okno.
4. Co uděláš na oběd?
5. Vzala jsem si aspirin.
6. Opravil jsem auto.

A. A můžeš umýt taky nádobí?
B. To je dobře, nemusíme jet do servisu.
C. A nevezmeš si taky nějaké vitaminy?
D. Tak se můžeš dívat na televizi.
E. Musíš to přečíst! Paní učitelka to říkala.
F. Udělám salát. Je horko.

12. Změňte věty. Použijte perfektivní slovesa z tabulky.

jíst/sníst*		číst*/přečíst*		vařit/uvařit		uklízet/uklidit
	mýt*/umýt*		prodávat/prodat		psát*/napsat*	
dávat/dát*		platit/zaplatit		malovat/vymalovat		kupovat/koupit

1. Budu dávat květiny mamince. _____

2. Budu psát dopisy. _____

3. Budu prodávat náš starý dům. _____

4. O víkendu budu uklízet byt. _____

5. Budu vařit dobrou večeři. _____

6. Budeme číst dobrou knihu. _____

7. Budeme jíst zeleninu. _____

8. Budeme mýt nádobí. _____

9. Budu platit za byt. _____

10. Budete malovat byt? _____

11. Na Vánoce budu kupovat dárky. _____

13. Dělejte budoucí čas. POZOR na 4 typy budoucího času!

1. jíst v hotelu _____

2. sníst všechno jídlo _____

3. jít do restaurace _____

4. vařit kávu _____

5. uvařit oběd _____

6. koupit máslo _____

7. jet na výlet _____

8. jít na diskotéku _____

9. dát si guláš _____

10. uklízet garáž _____

11. uklidit byt _____

12. jet do školy _____

13. zaplatit účet _____

14. letět do Ameriky _____

15. být doma _____

16. udělat čaj _____

17. telefonovat do práce _____

18. napsat test _____

19. číst detektivku _____

20. zatelefonovat domů _____

20. jít na procházku _____

21. studovat češtinu _____

22. být ve škole _____

23. přečíst knihu _____

24. kupovat dům _____

14. V každé větě je jedna chyba. Opravte ji.

1. O víkendu budu uvařím bramborovou polévku.
2. Zítra budu napsat dopis.
3. Příští rok budu naučím se francouzsky.
4. Příští měsíc budu vymalovat byt.
5. Budu koupím nové auto.
6. Myju nádobí, a pak půjdu spát.
7. Ztrácel jsem včera klíč.
8. Prosím tě, budeš napsat ten dopis?
9. Na Vánoce budu koupit stromeček.
10. Včera jsem dostával hezký dárek.

15. Doplňte do věty perfektivní sloveso.

1. Obvykle si dávám minerálku, ale dneska _____ (dát* si) pivo.

2. Obvykle uklízím večer, ale zítra _____ (uklidit) už ráno.

3. Teď jsem nervózní a nemůžu jíst. Proto _____ (sníst*) oběd později.

4. Dcera často ztrácí klíče, peníze a tašky. Opravdu nevím, co _____ (ztratit) zítra.

5. Vařím obyčejná jídla, ale zítra _____ (uvařit) něco moc dobrého.

6. Tu knihu jsem četla dvakrát, ale _____ (přečíst*) ji ještě jednou.

7. Každý den vidím učitelku a zítra ji určitě taky _____ (uvidět).

8. Nerad píšu dopisy, ale zítra ten dopis určitě _____ (napsat*).

16. Čtěte. Jaká slovesa jsou imperfektivní/perfektivní?

Historky ze života

1. Pracuju v mateřské školce. Jednou mi jeden malý kluk řekl, že jeho maminka studuje vysokou školu. Chtěla jsem
vědět, jakou školu studuje, a tak jsem řekla:
„A kde studuje?"
„To nevím," řekl kluk.
„Aha. A co se učí?"
„Moc věcí."
„Fajn. Ale co bude dělat, až skončí?"
„Bude strašně chytrá!"

2. Moje kamarádka měla minulý rok na Vánoce moc práce, a proto nekupovala žádné dárky. Napsala šeky a napsala na
papír: „Bohužel nemám čas – musíte si koupit nějaký hezký vánoční dárek sami." Okopírovala to a poslala dopis
kamarádům. Když za měsíc uklízela byt, uviděla šeky, které zapomněla dát do dopisů…

3. Jsem učitelka a učím matematiku. Jednou jsem šla ze školy na nákup, a pak do banky. Potřebovala jsem zaplatit účet
za byt, za elektřinu a za jazykový kurz. Paní v bance všechna čísla spočítala a dala mi to zkontrolovat. Zkontrolovala
jsem to a automaticky jsem napsala: Výborně!

17. Doplňte slovesa z textu.

1. _____ / vystudovat

2. _____ / říct*

3. _____ / skončit

4. kupovat / _____

5. psát* / _____ *

6. kopírovat / _____

7. posílat / _____ *

8. _____ / uklidit

9. zapomínat / _____ *

10. platit / _____

11. počítat / _____

12. kontrolovat / _____

Lekce 13

1. Pozorujte obrázek. Najděte prefixy. Co znamenají?

2. Domalujte obrázky.

Auto odjelo z města.

Auto podjelo most.

Auto projelo les.

Auto objelo dům.

Auto přejelo myš.

Auto vjelo do garáže.

Auto vyjelo z garáže.

Auto sjelo ze silnice.

Auta se rozjela různým směrem.

Auto přijelo do města.

3. Najděte správné slovo.

Kvíz

1. Když chcete hledat poklad, potřebujete
a) loď
b) peníze
c) kamaráda piráta

2. Hora na mapě je
a) malá
b) velká
c) vysoká

3. Horu nemůžete obejít, protože kolem je
a) moře
b) bazén
c) bažina

4. V poušti žijou
a) krokodýli
b) tygři
c) škorpioni

5. Musíte obejít
a) cukrárnu
b) školu
c) hrad

6. Musíte přejít most přes
a) údolí
b) tunel
c) řeku

7. Příroda v džungli je
a) krásná jako ráj
b) nebezpečná jako peklo
c) divoká jako tygr

8. Musíte přeplavat
a) moře
b) řeku
c) rybník

9. Sopka je nebezpečná, protože tam můžete čekat
a) piráty
b) krokodýly
c) explozi

10. Poklad je
a) v džungli
b) v kráteru
c) v oceánu

4. Víte, kdo první...

A. Kdo první vyšel na Mount Everest?
B. Kdo první vyletěl do vesmíru?
C. Kdo první přeletěl Atlantický oceán?
D. Kdo první objel lodí svět?
E. Kdo první přešel pěšky Grónsko?

1. Fernao de Magalhaes
2. Fridtjof Nansen
3. Edmund Hillary a Tenzing Norgay
4. Charles Lindbergh
5. Jurij Gagarin

5. Podtrhněte správné sloveso.

1. *Vyjeli – objeli – zajeli* jsme ostrov.
2. *Prošli – vyšli – došli* jsme džungli.
3. *Prošli – vyšli – našli* jsme na vysokou horu.
4. Cestovatel *vyjel – přejel* z hor.
5. Může člověk *vyletět – obletět – rozletět* celý svět v balonu?
6. *Vyšli – rozešli – prošli* jsme tunel.
7. Jak chcete *přejít – vyjít – rozejít* tuhle řeku?
8. *Podjel – objel – zajel* jsem celý svět.

6. Doplňte prefixy.

Jak jsem jel na výlet

Jednou jsem byl sám doma. Rodiče jeli na party ke kamarádovi. Vzal jsem auto a jel jsem na výlet.

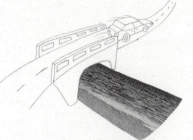

1. _____ jel jsem z garáže,

2. _____ jel jsem řeku,

3. _____ jel jsem na kopec,

4. a _____ jel jsem dolů z kopce.

5. Potom jsem _____ jel les,

6. _____ jel jsem louži,

7. a _____ jel jsem do města.

8. Na náměstí se _____ jeli moji kamarádi.

9. Pak jsme se _____ jeli domů.

10. Když jsem _____ jel z města,

11. chtěl jsem jet hezky rychle domů.

12. ale _____ jel jsem do louže.

13. Doma jsem musel celé auto umýt.

14. Pak jsem rychle _____ jel do garáže.

15. A ráno nikdo nic nepoznal. Naštěstí – bylo mi jenom 14 let!

7. Seřaďte příběh.

Co jsem dělal v sobotu

__ Domluvili jsme se, že půjdeme na výlet.

__ **Vy**šli jsme na kopec. Když jsme **se**šli dolů, **pře**šli jsme most.

__ Když **při**šel číšník, objednal jsem si kávu a rohlíky.

__ Pak **pod**jel most a **do**jel na náměstí.

__ **Vy**stoupili jsme z autobusu, a **roze**šli jsme se

__ **Se**šli jsme se na náměstí v 10 hodin.

1. V sobotu ráno jsem **vy**šel z domu v 8 hodin. Měl jsem hlad.

__ **Pro**četl jsem noviny a **vy**pil jsem kávu.

__ **Na**stoupili jsme do autobusu.

__ Když jsme **obe**šli rybník, uviděli jsme malou hospodu.

__ Když jsme **do**jedli oběd, **ode**šli jsme z hospody.

__ Blízko mostu byl rybník. **Obe**šli jsme ho.

__ **Za**šli jsme tam na oběd.

__ Nejdřív jsme **pro**šli celé město.

__ Autobus **pro**jel několik vesnic.

__ Když jsme **vy**šli z města, **pro**šli jsme les. Uviděli jsme vysoký kopec.

__ Blízko hospody byla stanice. Když jsme tam **do**šli, **při**jel autobus.

__ Šel jsem na snídani. **Pře**šel jsem ulici a **ve**šel jsem do kavárny.

20. Přišel jsem domů v 7 hodin večer. Byl to hezký den.

__ Když jsem **do**četl, **do**pil, a **do**jedl, **ode**šel jsem na schůzku s kamarádkou.

8. Poslouchejte text z učebnice. Opravte chyby.

Chcete hledat poklad? Jestli ano, tady je mapa. Budete potřebovat nějakou loď, pas, kompas a taky revolver, protože přijedete na nebezpečnou cestu. Musíte hledat jeden malý dům v Pacifiku. Až ho najdete, několikrát ho projedete, protože tam můžou být piráti. Když tam nikdo není, můžete jít hledat banku. Nejdřív vyjdete na vysokou horu a sejdete dolů. Horu nemůžete vyjít, protože kolem je bažina. Pak půjdete na východ. Tam je poušť, ve které žijou krokodýli. Jestli tuhle poušť přejdete zdraví a živí, uvidíte starý hrad. Hrad můžete rozejít. Pak přijdete na místo, kde je hluboké údolí. Přejdete údolí přes starý most. Potom musíte projít les. Příroda je tady krásná jako ráj, ale musíte dávat pozor – když odejdete moc daleko do džungle, můžete ztratit cestu. Když vyjdete z džungle, musíte přeplavat moře. Ale pozor – jsou tam žirafy. Když přeplavete řeku, uvidíte vysokou horu. Je to sopka, která má hluboký kráter. Podle staré legendy tam začíná peklo. Nikdy nevíte, kdy můžete čekat explozi. A v kráteru čeká vaše učitelka. Teď jenom vyjdete dolů a poklad je váš… Tak šťastnou cestu!

9. Téma ke konverzaci:

Chodíte nebo jezdíte do práce? Jezdíte metrem, autobusem, tramvají nebo autem?
Jak jezdíte na dovolenou? Chodíte na výlety? Nebo jezdíte autem?
Jak často chodíte na schůze, na výstavy, na koncerty, na diskotéky, na nákup...?
Chodíte někdy na ambasádu? Jak často?
Jak jezdíte na letiště?
Jak často jezdíte domů?

10. Napište otázky. Používejte slovesa jet a jezdit.

A.

1. _____ _____ ? – Na výlet.
2. _____ _____ ? – Vlakem.
3. _____ ? – Pavel a já.
4. _____ ? – Zítra v 11:46.

B.

1. _____ každý den? – Do práce.
2. _____ tam _____ ? – Každý den ráno v 7 hodin.
3. _____ tam _____ ? – Já a manželka.
4. _____ tam _____ ? – Vlakem a metrem.

C.

1. _____ ? – Na ambasádu.
2. _____ ? – Tramvají a pak metrem.
3. _____ ? – Já a manželka.
4. _____ ? – Ráno v 9 hodin.

D.

1. _____ každý týden? – Na lekci.
2. _____ tam _____ ? – Každé úterý a pátek.
3. _____ tam _____ ? – Jenom já sám.
4. _____ tam _____ ? – Autobusem.

11. Dokončete text.

Historky o cestování

1.
Moje kamarádka je Angličanka a učí se francouzsky. Minulý rok jela na dovolenou do Francie a potřebovala tam auto. Když telefonovala do půjčovny, mluvila francouzsky. Byla moc ráda, že ten těžký jazyk dobře umí. Ale…

2.
Jednou jsme jeli autem do New Yorku. Chtěli jsme parkovat někde na Manhattanu, ale nikde nebylo místo. Všude byly komplikované dopravní značky. Asi jsme nebyli jediní, kdo nerozuměl, protože blízko jedné značky byl nápis: …

3.
Můj kamarád byl v Itálii v Římě. Uměl italsky asi čtyři slova a měl strach, že ztratí cestu do hotelu. Proto si napsal na papír jméno hotelu a ulice. Několik hodin chodil po Římě, ale pak opravdu nemohl najít cestu zpátky. Šel k policistovi a ukázal mu papír se jménem hotelu a ulice. Policista se dlouho smál, protože…

A. … Ne, tady opravdu nemůžete parkovat. Ani na pět minut, ani na třicet sekund. Vůbec!

B. … slova „albergo" a „senzo unico" italsky znamenají „hotel" a „jednosměrná ulice".

C. … ráno ji čekal šok: před domem stálo velké nákladní auto.

12. Téma ke konverzaci:

Kam často jezdíte vy? Zažili jste taky nějakou komickou historku?

13. Dělejte věty. Používejte slova v závorce.

pořád	často	obvykle	někdy	málokdy	nikdy
	Můj kamarád	často	chodí pěšky,	protože nemá auto.	

chodit pěšky

jezdit na kole

jezdit autem

jezdit taxíkem

chodit na koncerty

chodit na procházky

jezdit na koni

jezdit na služební cesty

chodit spát ráno

jezdit na hory

jezdit k moři

14. Dokončete větu.
Například: Jezdit na koni je **zajímavé**.

1. Jezdit na koni _____

2. Chodit pěšky je _____

3. Jezdit na kole je _____

4. Létat letadlem je _____

5. Jezdit taxíkem je _____

6. Chodit spát po půlnoci je _____

7. Chodit často do restaurace je _____

8. Chodit do fitness centra je _____

15. Řekněte, co se děje na ulici? Používejte slovesa *chodit, jezdit, létat*.
Například: Na ulici jezdí tramvaje.

Lekce 14

1. Doplňte prepozice *v, na* a *u*.

1. Byl jsem _____ poště.
2. Cestoval jsem _____ Evropě.
3. Pracuju _____ kanceláři.
4. Profesor Higgins mluvil _____ konferenci.
5. Byla jsem _____ doktora.
6. Byli jste v neděli _____ koncertě?
7. Seděli jsme _____ kavárně.
8. Tancovali jste _____ diskotéce?

9. Byli jsme _____ Africe.
10. Máš krásné vlasy. Byla jsi _____ holiče?
11. Už jsi byl _____ obědě?
12. Viděla jsem ten film _____ kině, ne _____ televizi.
13. Večeřel jsem _____ hospodě.
14. Bydlím _____ kamaráda.
15. Spala jsi _____ babičky nebo _____ kamarádky?
16. Vlak dlouho nejel. Čekali jsme _____ nádraží.

2. Podtrhněte „na-slova" v tabulce. Dělejte věty podle modelu.

Například: Byl jsem na náměstí.

město	vesnice	nádraží	restaurace
bankomat	škola	koncert	obchod
pošta	cukrárna	lekce	supermarket
směnárna	masáž	kavárna	hokej
rehabilitace	les	parkoviště	kino
oběd	divadlo	film	galerie
diskotéka	knihovna	park	výstava
nákup	kostel	letiště	hotel

3. Dělejte lokál sg. Doplňte slova do tabulky podle koncovek. POZOR na prepozice *v/na*!

hotel	moře	divadlo	obchod	supermarket	katalog	oceán
hrnek	koncert	pošta	kavárna	drogerie	park	zahrada
škola	práce	kancelář		kino	stadion	galerie

-u	-i	-e
v hotelu	v moři	v divadle

4. Naplánujte si ideální dovolenou.

Pojedu/poletím	auto	autobus	letadlo	vlak	loď	kolo
Budu cestovat po	Evropa	Afrika	Amerika	Indonésie	Asie	Austrálie
Budu bydlet v/na	stan	karavan	mrakodrap	chata	penzion	hotel
Budu sportovat v/na	tenisový kurt	fitness centrum	tělocvična	stadion	les	bazén
Budu plavat v/na	bazén	řeka	jezero	aquapark	moře	oceán
Budu jíst v/na	kavárna	trh	hospoda	pizzerie	restaurace	hotel
Budu odpočívat v/na	bar	herna a kasino	kavárna	sauna	masáž	solárium

5. Doplňte reakce.

Crrrrrrrr!

A: Ahoj. Kde jsi?

B: _____

A: Aha. A kde je maminka?

B: _____

A: Tatínek je tam taky?

B: _____

A: A kde se sejdeme?

B: _____

A: Dobře. Ale jak dlouho tam můžeš čekat?

B: _____

A: Nevím, jestli tam budu včas. Kde budeš potom?

B: _____

A: Fajn. Měj se hezky. Ahoj!

C: Ahoj. Už jsem tě neviděl sto let. Kde pracuješ?

D: _____

C: Aha. A kde bydlíš?

D: _____

C: A kde bydlí tvoji rodiče?

D: _____

C: Tvoje sestra tam bydlí taky?

D: _____

C: A co kamarádka? Kde studuje?

D: _____

C: Nemáš někdy čas? Kde a kdy se sejdeme?

D: _____

C: Prima. Už musím letět. Těším se. Čau!

6. Co kde rádi děláte?

Jsem rád v/na	kuchyň	obývák	ložnice	jídelna	balkon	můj pokoj
Rád pracuju v/na	kancelář	továrna	dílna	sborovna	třída	studovna
Rád spím v/na	postel	gauč	palanda	tráva	spacák	podlaha
Rád zpívám v/na	kostel	koncert	výlet	koupelna	sprcha	škola
Rád sedím v/na	židle	křeslo	koberec	podlaha	polštář	mech
Rád čtu v/na	letadlo	vlak	metro	autobus	vana	záchod

7. Řekněte, kde je to.

8. Hádejte, kde ti lidé jsou. Najděte víc možností.

Kde to je?

1.
Prosím vás, kolik dostanu za 100 dolarů?
3 824 korun. Dolar je dneska za 38,50.
Dobře, můžete to vyměnit.

2.
Máte ještě lístky na pátek večer?
Ne, na pátek už lístky nemáme. Je vyprodáno. Máme lístky jenom na sobotu a na neděli.

3.
Prosím vás, jsou tady někde informace?
Informace jsou tady. Co potřebujete?
Chci jet v sobotu večer do Brna. Jede něco?

4.
Chtěla bych vybrat 8 000 korun.
Napište mi tady číslo účtu, prosím.

5.
Prosím vás, kde je tady pošta?
Musíte jít rovně asi 100 metrů a tam zahněte doleva. Pošta je ten žlutý dům vedle kostela.

6.
Máte nějaké vánoční pohlednice?
Ano, prosím, tady jsou.
Tahle je hezká. A nevíte, kolik stojí známka do Francie?

7.
Pssst! Máte papíry? Budeme psát diktát.
Ale my jsme unavení. Už jsme dneska psali dva testy.

8.
Hele, vidíš toho krokodýla? Ten je velký, viď.
Jé, ten je krásný. Můžu mu dát čokoládu?
Ne. Je nebezpečný.

9.
To je super! Miluju vodu.
Já ne. Nerad plavu. Budu se jenom opalovat.

10.
Třikrát denně musíte brát tyhle prášky. Za týden přijdete na kontrolu.
Aha. A musím ležet?

11.
Máme doma ještě máslo?
Myslím, že ne. Koupíme dvě krabice mléka, tři minerálky a dva džusy. A musíme koupit taky rohlíky.

12.
Chtěla bych vpředu dlouhé vlasy, ale vzadu krátké.
A budete chtít blond barvu?

9. Doplňte tabulku.

jít,		být,
z		v
	na	
od	k	

10. Dělejte věty.
Například: Studuju **v Praze**. Jedu **do Anglie**.

být	studovat	do školy / ve škole
pracovat	narodit se	na univerzitu / na univerzitě
jít letět	spěchat	do práce / v práci
často jezdit často létat		do kanceláře / v kanceláři
jet	často telefonovat	do České republiky / v České republice
	čekat	do Francie / ve Francii
bydlet	posílat e-mail	do Japonska / v Japonsku
stěhovat se	žít	do Anglie / v Anglii
často chodit	odpočívat	do Ameriky / v Americe

11. Doplňte prepozice.

1. Jedeme _____ dovolenou _____ Slovensko.

2. Jedeš _____ hory nebo _____ chatu?

3. _____ létě jsem byla _____ Francii a _____ Sicílii.

4. Jdu _____ školy, a pak _____ koncert.

5. Minulý rok jsem bydlela _____ kamaráda.

6. Každý víkend chodíme _____ koncert.

7. Ten pacient musí jet _____ nemocnice.

8. Posílám dopis _____ Texasu.

9. Bydlím _____ školy, a proto nemusím ráno brzo vstávat.

10. Letadlo letělo _____ letiště.

11. Spala jsem _____ kamarádky.

12. Ráno jsem byla _____ doktora _____ kontrole.

13. Sejdeme se _____ hotelu Ambasador.

14. Včera jsem byla _____ holiče a _____ masáži.

15. Čekám _____ sestru _____ školy.

16. Hotel stojí _____ náměstí.

17. Celý večer jsem byl _____ bratra.

18. Jedeš v sobotu _____ hokej?

19. Když jsem šla _____ doktora, viděla jsem naši starou učitelku.

20. Když jsem šel _____ baru, byla už půlnoc.

12. Čtěte. Pak dělejte otázky k textu.

Jan Kabát

Narodil jsem se 15. srpna 1960. Jsem ženatý, mám dceru a syna. Od roku 1966 do roku 1975 jsem chodil do základní školy v Jihlavě, od roku 1975 jsem studoval střední školu (gymnázium) v Telči. Maturoval jsem v roce 1979 a po maturitě jsem šel na vysokou školu do Prahy. Na Karlově univerzitě jsem studoval jazyky na filozofické fakultě. Vystudoval jsem angličtinu a francouzštinu a psal jsem diplomovou práci o anglickém kondicionálu. Promoval jsem v roce 1984.
Od roku 1984 do roku 1990 jsem ve firmě Proton Praha. Od roku 1986 do roku 1989 jsem byl v Komunistické straně Československa, protože jsem chtěl jezdit do ciziny na služební cesty. Dneska myslím, že to byla chyba. V červenci roku 1990 jsem založil vlastní firmu, která se specializuje na překlady. Moje firma dobře prosperuje.

13. Dokončete věty.

1. Narodil jsem se v/na _____

2. Studoval jsem v/na _____

3. Chtěl bych studovat v/na _____

4. Nejdřív jsem bydlel v/na _____

5. Pak jsem bydlel v/na _____

6. Teď bydlím v/na _____

7. Chtěl bych bydlet v/na _____

8. Nechtěl bych nikdy bydlet v/na _____

9. Pracuju v/na _____

10. Minulý rok jsem byl v/na _____

11. Nikdy jsem nebyl v/na _____

14. Dokončete věty.

1. Četl/a jsem o _____

2. Viděl/a jsem film o _____

3. Povídali jsme si o _____

4. Slyšel/a jsem o _____

5. Psal/a jsem dopis o _____

6. Hádali jsme se o _____

15. Dělejte minulý a budoucí čas.

_____	bavíme se o módě	_____
_____	mluvíš o počasí?	_____
_____	čte o novém seriálu	_____
_____	hádají se o politice	_____
_____	přemýšlí o koncepci	_____
_____	mluvím o dietě	_____
_____	slyším o zajímavém filmu	_____
_____	bavíte se o firmě	_____
_____	mluvíme o dovolené	_____
_____	čtu o Africe a Americe	_____
_____	přemýšlím o životě	_____

16. Řekněte, kde kdo pracuje. Najděte víc možností.

Například: Recepční pracuje v hotelu. Telefonuje a dává hostům klíče.

Kde pracujou? Co tam dělají?

1. Doktor _____

2. Číšník _____

3. Sekretářka _____

4. Řidič _____

5. Prodavačka _____

6. Učitelka _____

7. Ředitel _____

8. Herečka _____

9. Moderátor _____

10. Policista _____

11. Babička _____

12. Student _____

13. Fotograf _____

14. Modelka _____

17. Napište 3 místa, kde nikdy nechcete pracovat. Napište proč.

_____

_____

_____

_____

_____

_____

Lekce 15

1. Dělejte kondicionál.
Například: já – dělat – **dělal bych**

1. oni – hledat _____
2. vy – vidět _____
3. my – používat _____
4. ona – mít _____
5. ty – chtít _____

6. já – vstávat _____
7. ty – lyžovat _____
8. vy – hrát _____
9. my – umět _____
10. ty – vědět _____

11. vy – jet _____
12. on – jít _____
13. oni – dělat _____
14. já – pracovat _____
15. on – potřebovat _____

2. Seřaďte věty. POZOR na druhou pozici!

1. ale peníze bych velký byt koupil nemám

2. auto lepší bychom nějaké potřebovali

3. zítra večer čas bys měla?

4. centru bydleli byste v ?

5. bychom velký koupili dům to ale drahé je

6. jsem pracoval ale líný bych

7. studoval čas ale bych nemám

3. Řekněte v kondicionálu.
Například: viděl jsem – **viděl bych**

1. měli jsme _____
2. pil jsi _____
3. malovala _____
4. bydleli _____
5. umřel _____
6. pracovali _____

7. tancovala jsem _____
8. psala _____
9. mluvila _____
10. jeli _____
11. pili _____
12. opravovala _____

13. prodávali jsme _____
14. dostali jste _____
15. jedli jsme _____
16. šla _____
17. prali jsme _____
18. ztratil jsi _____

4. Dělejte otázky s kondicionálem.
Například: Chtěl bys bydlet na ostrově?

bydlet na severním pólu	**letět balonem**	**vyhrát milion**
obědvat s Madonnou	**jet do Austrálie**	
běžet maraton	**mít víc než 3 děti**	**hrát v divadle**
letět do vesmíru	**žít na Marsu**	**vůbec nechodit do práce**
bydlet v lese	**mít doma hada nebo pavouka**	
být nesmrtelný	**mít nové auto**	**být král/královna**

5. Dělejte věty. Používejte slova z textu Co by Čech udělal jinak?

1. být* zdvořilý – _____

2. rušit/zrušit lekci – _____

3. zvát* /pozvat* na večeři – _____

4. vcházet/vejít* do obýváku – _____

5. ordinace – _____

6. brát*/vzít* telefon – _____

7.   mít*   důležitou   schůzku   –
_____

8. potkávat/potkat – _____

9. mít* dítě – _____

6. Diskutujte o tom, co byste dělali v téhle situaci.

1. Kdyby měl váš kamarád příští týden svatbu, co byste mu koupili?

2. Kdybyste měnili zaměstnání, co byste dělali?

3. Kdybyste hledali práci, jak byste řekli, co umíte?

4. Kdyby vám někdo platil cestu, kam byste jeli?

5. Kdybyste se museli naučit nějaký sport/jazyk, který ještě neumíte, co byste si vybrali?

6. Kdybyste měli muzeum nebo galerii, co byste sbírali?

7. Kdybyste byli novinář, o čem byste psali?

8. Kdyby vás kamarád pozval do restaurace, kam byste šli?

9. Kdybyste byli geniální vynálezce jako třeba Edison, co byste chtěli objevit nebo udělat?

10. Kdyby vám na dovolené pršelo, co byste dělali?

11. Kdybyste psali poezii nebo písničky, o čem byste psali?

7. Doplňte první část věty.

1. _____, snědl bych jídlo, které nemám rád.

2. _____, prodal bych auto.

3. _____, učil bych děti doma.

4. _____, mluvil bych s českým prezidentem.

5. _____, nestudoval bych češtinu.

6. _____, měl bych deset dětí.

7. _____, odešel bych.

8. _____, potřeboval bych milion dolarů.

9. _____, nespal bych celou noc.

10. _____, měl bych zelené vlasy.

8. Doplňte druhou část věty.

1. Kdybych byl populární a slavný, _____

2. Kdybych neměl televizi, _____

3. Kdybych byl nemocný, _____

4. Kdybych byl na pustém ostrově, _____

5. Kdyby bylo o víkendu vedro, _____

6. Kdyby o víkendu pršelo, _____

7. Kdybych neměl peníze, _____

8. Kdybych byl velmi bohatý, _____

9. Opakujte text *Margot má smůlu – nebo štěstí?* Odpovídejte.

1. Odkud znala Margot Filipa?
2. Jak chtěla jet do Prahy?
3. Jakou chybu Margot udělala?
4. Co dělala, když vystoupila z vlaku?
5. Kdo je Laura?
6. Co Laura zapomněla?
7. Jaký problém byl s autem?
8. Kdo pro Margot a Lauru přijel?
9. Proč Margot říkala, že má štěstí?

10. Opakujte nová slova z textu *Margot má smůlu – nebo štěstí?* Dělejte věty.

1. mít* smůlu	2. malá vesnice	4. jet opačným směrem
	6. vystoupit z vlaku	8. rozbité auto
5. mít* strach	7. zapomenout* mapu	3. nastoupit do vlaku

1. _____

2. _____

3. _____

4. _____

5. _____

6. _____

7. _____

8. _____

11. Poslouchejte text z učebnice. Opravte chyby.

Margot má smůlu – nebo štěstí?

Byl krásný den, sobota večer. Američanka Margot byla poprvé v Africe. Jela autobusem na návštěvu do malé vesnice u Prahy, kde bydlel její kamarád Filip. Margot ho znala z USA, kde pracoval.

Ráno chtěla Margot jet domů. Šla na náměstí. Nastoupila do vlaku a vlak se rozjel. Nejel do Prahy, ale opačným směrem. Margot měla opravdu radost. Asi za půl hodiny přijel autobus na nějaké nádraží v malém městě a Margot vystoupila. Byl už večer. Nikde nebyla žádná mapa, nikde nebyl žádný penzion a nikdo tam nemluvil česky. Margot neuměla vůbec česky, a tak říkala: „Prague, Prague." Jedna paní jí řekla, že vlak do Prahy jede až v pondělí.

Pak uviděla blízko nádraží telefon. Šla tam a zatelefonovala do Ameriky. Její kamarádka Laura řekla, že pro ni přijede autem. Margot čekala asi čtyři hodiny, protože Laura zapomněla mapu a musela hledat cestu. Pak Laura přijela a jely do Kanady. Najednou mělo jejich letadlo problémy s motorem. Stálo na silnici a nefungovalo. Kolem byla tma, nikde nikdo… Laura měla naštěstí mobil, a tak zatelefonovala do Prahy. Její kamarádi Joe a Kurt řekli, že nepřijedou. Když přijeli, byly už skoro dvě hodiny v noci. Nechali rozbité auto na silnici a všichni jeli do vesnice.

Ráno Margot zavolala do servisu a mechanik ze servisu pro její auto zajel. Když přijel, Laura a Margot viděly, že okno je rozbité a televize je pryč. „To byla smůla." řekla Laura. Ale Margot protestovala: „Ne, ne. Myslím, že to bylo štěstí." „Proč?" ptala se Laura. „Protože jsem potkala Joea. Zítra máme mítink." smála se Margot. „A to rádio ti nezaplatím."

12. Dělejte otázky k textu *Margot má smůlu – nebo štěstí?*

Kam _____ ?
Odkud _____ ?
Proč _____ ?
Kdy _____ ?
Kdo _____ ?
Jak _____ ?

13. Spojte čísla a písmena.

1. Mám špatnou učitelku.
2. Mám rozbité auto.
3. Mám strašné vlasy.
4. Mám kolegyni, která v kanceláři pořád kouří.
5. Na Vánoce jsem moc jedl a teď mám o tři kila víc.
6. Ztratila jsem peníze a všechny dokumenty.
7. Jsem pořád smutný a mám špatnou náladu.
8. Chtěla bych mluvit dobře anglicky.

A. Měl bys jíst jenom zeleninu a ovoce.
B. Měla bys používat jiný šampon.
C. Měla bys jít na policii.
D. Měl bys jít k doktorovi.
E. Měl bys hledat nějakou dobrou.
F. Měla bys jet pracovat do Anglie jako au-pair.
G. Měla by kouřit venku.
H. Měl bys jet do servisu. Znám dobrého mechanika.

14. Poslouchejte texty z CD. Doplňte slova.

Karel říká:

Když celý život chceš jet do Indie, _____ jet. Je to tvůj život a tvoje peníze, ne? Určitě bys měla jít taky

k _____ a informovat se, jestli je nějaké riziko infekce nebo tak něco. Nebo můžeš hledat nějakou cestovní

_____, která cesty do exotických zemí organizuje, a pak _____ s cestovní kanceláří.

Jarka říká:

Já nevím, ale _____, že váš syn má pravdu. Neměla byste jet nikam. Cesta může být opravdu nebezpečná

a pro tak starého člověka, jako jste _____, je to opravdu riziko. A taky byste neměla dávat za cestu všechny

_____. Váš syn za to může mít auto pro celou rodinu. Jste _____ a auto budete taky potřebovat.

Božena říká:

_____ být tolerantní a moderní matka. To, co Alena dělá, je úplně normální. Každý mladý člověk

_____ nové kamarády, mluví vulgárně a je protivný na rodiče. Dneska si každý dělá jenom to, co chce. Měla

bys být ráda, že Alena _____ a že nebere drogy.

Adéla říká:

Víš, měla bys mít taky nějaké _____, se kterými bys mohla _____ do divadla nebo na koncerty. Alena

už není malá holka. Samozřejmě, že by neměla být vulgární a protivná. Ale taky _____ být pořád jenom

s maminkou a musí mít vlastní kamarády a vlastní život.

Iva říká:

Já myslím, že _____ málo. Měl bys studovat víc. Každý den se musíš naučit minimálně čtyřicet nových slov

a hlavně se učit _____ Když neumíš teorii, nemůžeš _____ Bez gramatiky budeš dělat chyby pořád.

Miloš říká:

Jsi už asi trochu frustrovaný a zablokovaný. Měl bys jet na nějaký čas do _____ nebo do Ameriky. Můžeš tam

pracovat nebo si _____ nějaký kurz. A _____ hlavně mluvit a mluvit. To nevadí, že děláš chyby

a že mluvíš pomalu. Každý student _____ chyby, to je normální.

15. Který autor inzerátu je vám sympatický/nesympatický a proč?

1. Krásnou, hodnou, štíhlou a inteligentní optimistku s vysokým IQ hledá 35/187 cm vysoký, štíhlý, bohatý a velmi sympatický milionář.

2. Hledáme pro naši 65letou maminku hodného a sympatického partnera, se kterým by mohla prožít „podzim života".

3. Jsem krásná, sympatická, ctižádostivá, temperamentní a tvrdohlavá. Existuje charismatický muž, který by mě miloval a udělal pro mě všechno? 19/178.

4. Chtěla bych potkat prince na bílém koni, ale on pořád nejede. A tak hledám normálního kluka, dobrého kamaráda do lesa i do divadla. Jsem silnější SŠ 26/163.

16. Dokončete věty.

Například: Jsi nezdvořilý. Měl bys být zdvořilý.

1. Jsi líný. – _____

2. Jsi nezodpovědná. – _____

3. Jsi zlý. – _____

4. Jsi nespolečenská. – _____

5. Jsi nespolehlivý. – _____

6. Jsi pořád smutný. – _____

17. Napište text o tom, kdo je váš nejlepší kamarád, jaký je a proč ho máte rádi.

_____

_____

_____

_____

_____

_____

_____

_____

_____

_____

18. Jak byste reagovali? Co byste řekli?

1. Promiňte, ale musím zrušit lekci. Zítra nemám čas.

2. Zvu tě na večeři.

3. Váš syn je inteligentní, ale líný.

4. Zvoní telefon. Vezmeš to?

5. Ty jsi tak hodný!

6. Mám rozbité auto.

7. Jste nespolehlivý! Zase jste zapomněl na naši schůzku.

Lekce 16

1. Dělejte komparativy.

1. Je Cambridge _____ (krásný) než Oxford?

2. Je New York _____ (moderní) než Tokio?

3. Je Antonín Dvořák _____ (slavný) než Leoš Janáček?

4. Je Madonna _____ (populární) než Britney Spears?

5. Jsou jahody _____ (sladký) než maliny?

6. Je les _____ (hezký) než park?

7. Jsou hyeroglify _____ (starý) než naše písmo?

8. Je angličtina _____ (lehký) než němčina?

9. Musí být manželka _____ (mladý) než manžel?

10. Je letadlo _____ (ekologický) než auto?

11. Je Švýcarsko _____ (bohatý) než Německo?

12. Je slon _____ (nebezpečný) než lev?

2. Doplňte superlativ adjektiv.

1. Amazonka je _____ řeka.

2. Mount Everest je _____ hora na světě.

3. Asie je _____ kontinent.

4. Vatikán je _____ země na světě.

5. _____ člověk na světě umřel ve věku 114 let.

6. _____ zvíře je gepard.

7. _____ město na světě je Mexico City.

8. _____ člověk na světě měřil 272 centimetrů.

9. _____ člověk na světě měřil 57 centimetrů.

3. Doplňte slova z tabulky do textu. POZOR na správné formy!

| zámek | | bohatý | | pokladna | | sladký | | zapomenout * | | rychlý |
| vidět | | | chudý | | jeho | | říct* | | pravda | |

Pohádka o dvou bratrech

Byli jednou dva bratři, jeden bohatý a jeden _____ Hádali se o les. Šli do _____

a chtěli, aby jejich pán řekl, kdo má _____ Pán řekl: „Mám pro vás otázku. Co je na světě

_____, nejrychlejší a nejsladší? Kdo odpoví dobře, bude mít les." Bohatý bratr řekl: „Nejbohatší

je moje velká _____, _____ můj lovecký pes a nejsladší můj sud

medu." Chudý bratr ale _____: „Myslím, pane, že můj bratr nemá pravdu. Nejbohatší je naše matka

Země, ze které máme všechno jídlo a pití. Nejrychlejší je naše oko, které všechno _____

A _____ je spánek, protože když člověk spí, _____ na všechno smutné."

Pán řekl: „Ten chudý má pravdu a les bude _____"

4. Řekněte / napište co nejvíce srovnání.

Například: Čaj je **zdravější** než káva.

čokoláda

pes

čaj   káva

pavouk   moucha

cukr   paprika

had   velryba

limonáda   víno

kočka   losos

pepř

slon

letadlo

hokej

vlak   taxík

tenis   fotbal

balon   autobus

squash   lyžování

kolo   loď

volejbal   rugby

auto

americký fotbal

_____

_____

_____

_____

_____

_____

_____

_____

_____

_____

5. Dělejte komparativ adjektiv. Pak řekněte superlativ.

Například: Moje káva je sladká, ale ta tvoje je **sladší**. Tvoje káva je **nejsladší**.

1. Tenhle dort je dobrý, ale ten vedle je _____

2. Ten starý film je špatný, ale ten nový je _____

3. Limonáda je studená, ale pivo je _____

4. Náš dům je velký, ale váš dům je _____

5. Lekce 5 je lehká, ale lekce 1 je _____

6. Můj syn je malý, ale tvoje dcera je _____

7. Angličtina je těžká, ale němčina je _____

8. Rothschild je bohatý, ale Bill Gates je _____

9. Čaj je _____ než káva. (teplý)

10. Vodka je _____ než becherovka. (silný)

11. Komedie je _____ než tragedie. (veselý)

12. Jsem _____ než ty. (chudý)

13. Holky jsou _____ než kluci. (malý).

14. Manželka je _____ než já. (pracovitý).

15. Moje káva je _____ než tvoje káva. (slabý)

16. Dneska jsem _____ než včera. (smutný)

6. Doplňte tabulku.

	lepší	
		nejhorší
malý		
	větší	
		nejdelší
sladký	vyšší	
	hezčí	
		nejmladší
krátký		
	bohatší	
slavný		
		nejpopulárnější
	lehčí	
		nejtěžší
moderní		

7. Změňte věty podle modelu.

Například: Tom je dobrý student, ale Hans je výborný.: Hans je **lepší** než Tom. Hans je **nejlepší**.

1. Dort je dobrý, ale čokoláda je výborná.

_____

2. V létě byl špatné počasí, ale v zimě bylo opravdu strašné.

_____

3. Aleš měří 190 centimetrů, ale jeho bratr Honza měří skoro 2 metry.

_____

4. Náš pes je malý, ale ten váš pes je opravdu „minipes".

_____

5. Cesta do Brna trvá dvě hodiny, ale cesta do Ostravy trvá čtyři hodiny.

_____

6. Daniela má krátké vlasy, ale Veronika má tak krátké vlasy, že vypadá jako kluk.

_____

7. Jana je krásná, ale Lucie vypadá opravdu jako modelka.

_____

8. Josef je chytrý, ale myslím, že Jarda je génius.

_____

8. Pište.

Moje nejdelší cesta

_____

Moje nejkrásnější cesta

_____

Moje nejstarší vzpomínka

_____

Můj největší trapas

_____

Můj nejlepší zážitek z léta

_____

Můj nejhorší zážitek z léta

_____

Moje největší přání

_____

9. Čtěte.

Moje **nejstarší** vzpomínka
– Jak se dívám na nějaké žluté kytky. Přemýšlím, jestli je můžu sníst. Božena, 63 let
– Pusa od babičky každý večer, když jsem šla spát, a horký čaj s medem a citronem. Irena, 29 let
– Byly mi asi tři roky. Seděl jsem na zahrádce a říkám si: Musím si pamatovat, že jsem. Miloš, 56 let

Moje **nejdelší** cesta
– Jeli jsme autem do Španělska, bylo vedro a já jsem pořád chtěla pití. Ale moře bylo fajn. Karolína, 5 let
– Letěl jsem se sestrou do Indonésie na Bali, Lombok a jiné ostrovy. Mám tam kamaráda muslima. Já jsem katolík, ale rozumíme si. Pavel, 28 let
– Cesta kolem Středozemního moře: Istanbul, Athény, Malta a tak. Bylo to super! Filip, 17 let

Můj **největší** trapas
– Když k nám přijela teta z Německa a měli jsme špagety a já jsem na tetu vylil kečup. Honza, 13 let
– Babička mi každý den dávala do školy pomerančové sušenky Orange a spolužáci na mě volali „Orangutane". Jirka, 46 let
– Ve škole jsme trénovali sprint. Chtěl jsem pochválit spolužačku, která dobře běhala a byla moc hezká. Ale místo „Ty jsi naše nejlepší sprintérka." jsem řekl „Ty jsi naše nejlepší striptérka." Ondřej, 16 let

Můj **nejlepší** zážitek z léta
– Můj nejlepší zážitek je, že jsem dostala psa. Tereza, 7 let
– V létě jsem byl na táboře a rodiče mi poslali bonbony a čokolády. Dominik, 11 let
– Na nejlepší zážitek ještě čekám – bude mít modrý oči a přijede ve stříbrném fordu. Fakt, mám to v horoskopu. Kristýna, 16 let

Můj **nejhorší** zážitek z léta
– Jeli jsme do Rakouska na dovolenou a 6 hodin jsme čekali na hranicích. Miroslav, 52 let
– Někdo mi ukradl peněženku. Naštěstí jsem tam neměla všechny peníze. Lenka 56 let
– Byl jsem na chatě a pořád tam pršelo. Nemohli jsme chodit ven. Vláďa, 10 let
– Byli jsme v srpnu v Itálii na Vesuvu a sněžilo. Ale vlastně to byl nejzajímavější zážitek. Lída, 42 let

Moje **největší** přání
– Nemuset jíst zeleninu v polévce. Marie, 8 let
– Studovat vysokou školu. Udělala jsem zkoušky, ale nevzali mě. Monika, 19 let
– Podívat se do Tibetu. Mám ho rád a chodím na demonstrace proti čínské okupaci. Jaromír, 27 let
– Nemuset ráno do školy. Dalibor, 14 let

10. Doplňte adverbia.

1. Pracuješ (dobrý) _____
2. Petr mluví (tichý) _____
3. Vypadá (veselý) _____
4. Iva mluví (špatný) _____
5. Ota jí (malý) _____
6. Spala jsem (dlouhý) _____
7. Pojedu (daleký) _____

8. Bratislava je (blízký) _____
9. Babička jde (pomalý) _____
10. Ivan běží (rychlý) _____
11. Radka plave (častý) _____
12. Eva vypadá (spokojený) _____
13. Rádio hraje (hlasitý) _____
14. Nakupujeme (levný) _____

11. Doplňte opozitum.

1. Jana se obléká dobře, ale Laura se obléká _____
2. Ivan mluví hlasitě, ale Jaroslav mluví _____
3. My jsme tady dlouho, ale vy jste tady _____
4. Vaše auto jelo rychle, ale my jsme jeli _____
5. Včera jsi vypadal smutně, ale dneska už vypadáš _____
6. Jarmila nakupuje levně, ale Aleš nakupuje _____
7. Nechci se oblékat staromódně. Chci se oblékat _____
8. Včera bylo krásně, ale dneska je _____
9. To je strašné počasí. V létě byla zima, a teď na podzim je _____
10. Minulý rok bylo sucho, ale tenhle rok je _____

12. Spojte opozita

levně		dobře	
rychle	vesele	moderně	
lehce	hodně		krátce
	tiše	daleko	

těžce	blízko		hlasitě
	málo		smutně
dlouho	pomalu		draze
	špatně		staromódně

13. Reagujte.

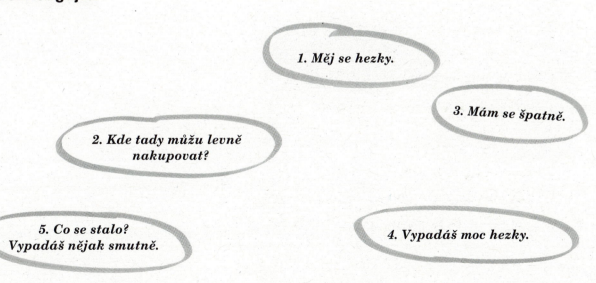

1. Měj se hezky.

3. Mám se špatně.

2. Kde tady můžu levně nakupovat?

5. Co se stalo? Vypadáš nějak smutně.

4. Vypadáš moc hezky.

6. Proč mluvíš tak tiše?

14. Napište nebo řekněte, co znamenají tyhle meteorologické symboly.

15. Kdy je to?

Kdy je to?

1. Kdy je jasno, vedro a sucho? – _____

2. Kdy mrzne, sněží a klouže to? – _____

3. Kdy je chladno, prší a je zataženo? – _____

4. Kdy je hezky, slunečno a teplo, ale někdy je ještě zima? – _____

16. Pracujte se slovníkem. Hádejte, kdy to bylo?

Kdy to bylo? Na jaře, v létě, na podzim nebo v zimě?

1. Bylo velké vedro a sucho. Dopoledne bylo ještě jasno, ale v poledne už nebylo hezky, bylo zataženo a začínal foukat vítr. Pak přišla bouřka.

2. Byla zima a mrzlo. Bylo asi mínus pět stupňů, ale ještě nesněžilo. Bylo zataženo a nebe bylo šedé. Večer byla brzo tma, foukal silný vítr a začínalo sněžit.

3. Nebylo už vedro, ale ještě bylo teplo a jasno. Den byl kratší a noc delší než předtím. Někdy foukal studený vítr.

4. Přes den bylo jasno a slunečno, ale ráno a večer bylo ještě zima. V poledne bylo teplo, asi dvanáct nad nulou. Den byl delší a noc kratší než předtím.

Lekce 17

1. Řekněte, kdo komu telefonuje.

Kdo komu telefonuje?

1. Alena
2. Robert
3. Vladimír
4. Boris
5. Tomáš
6. David
7. Zuzana
8. Jarmila

2. Najděte imperfektivní a perfektivní páry. Dělejte věty s perfektivními slovesy.

dávat	říct*	_____	/ _____
pomáhat	napsat*	_____	/ _____
posílat	poslat*	_____	/ _____
psát*	vysvětlit	_____	/ _____
smát se*	zavolat	_____	/ _____
říkat	poradit	_____	/ _____
radit	dát	_____	/ _____
volat	vrátit	_____	/ _____
vracet	zasmát se*	_____	/ _____
půjčovat	pomoct*	_____	/ _____
vysvětlovat	půjčit	_____	/ _____

3. Dokončete věty.

1. Často telefonuju _____

2. Často radím _____

3. Dávám dárky _____

4. Píšu e-maily _____

5. Pomáhám _____

4. Doplňte sloveso. Najděte víc možností.

1. Dcera _____ na Vánoce tatínkovi kravatu.

2. Děti _____ mamince mýt nádobí.

3. Tatínek _____ synovi, že pojede na hory.

4. Doktor _____ pacientovi dobrý lék.

5. Alžběta _____ e-mail kamarádovi.

6. Josef _____ dárek kamarádovi k narozeninám.

7. Učitel _____ studentovi, jak používat dativ.

8. Jaroslav _____ mamince každý týden. Je hodný syn.

5. Dejte slova v závorkách do správného tvaru.

Eva chce koupit _____ (Petr) k narozeninám nějaký dárek. Je v _____ (banka)

a telefonuje _____ (maminka):

„Ahoj, mami," říká. „Můžeš mi poradit? Nevím, co koupit _____ (Petr) k narozeninám." Ale maminka

nemůže _____ (Eva) pomoct. „Jsem v _____ (obchod). Zavolám ti později."

říká Evě.

Eva volá _____ (kamarádka Alice). Ale Alice taky nemá čas. „Promiň, jsem

v _____ (restaurace). Zavolám ti později." říká Alice Evě. „Ach jo. Budu muset zavolat

_____ (Petr)," říká si Eva. Ale _____ (Petr) volat nemůže. Petr je

v _____ (knihovna) a nemá mobil. Jeho starý mobil je rozbitý. To je nápad!

Eva už ví, co koupí. „Koupím _____ (Petr) nový mobil." telefonuje _____

(maminka) a _____ (Alice).

6. Dělejte věty. Doplňte potřebná slova.
Například: dávat/dárek Každý rok dávám dárek tatínkovi.

posílat/babička	posílat/e-mail	vysvětlovat/gramatika	vysvětlovat/šéf
psát/maminka	psát/dopis	psát/papír	říkat/vtip
říkat/manželka	dávat/dárek	dávat/pacient	půjčovat/auto
půjčovat/kamarádka	půjčovat si/peníze	telefonovat/Amerika	telefonovat/kamarád

_____

_____

_____

_____

7. Najděte a podtrhněte dativ sg.

1. Monika je v bance. Telefonuje mamince. Mluví o kamarádce.
2. Hagen je v restauraci. Telefonuje Alici. Mluví o politické situaci.
3. John je v Americe. Telefonuje manželce Jitce. Mluví o populární zpěvačce.
4. Hana telefonuje kamarádovi. Mluví o jejich šéfovi.
5. Veronika je v práci. Píše e-mail sestřenici o nové učebnici.
6. David byl v Indii. Teď píše dopis Lucii. Chce psát knihu o indické filozofii.
7. Kolega je v Africe. Posílá telegram sekretářce.

8. Dělejte věty.

Například: Učitel – vysvětlovat – gramatika – studentka. Učitel vysvětluje gramatiku studentce.

1. Režisér – vysvětlovat – role – herečka.

2. Sekretářka – psát – vzkaz – ředitelka.

3. Kamarád – psát – dopis – kamarádka.

4. Paní – posílat – telegram – soused.

5. Doktor – dávat – lék – pacient.

6. Student – půjčovat – učebnice – studentka.

7. Sekretářka – říkat – vzkaz – manažer.

8. Profesor – radit – něco – student.

9. Napište věty.

Komu pomáháte? (student, studentka, dědeček, babička, pacient, pacientka, kamarád, kamarádka)

Komu radíte? (šéf, šéfka, kolega, kolegyně, klient, klientka, asistent, asistentka, sekretářka)

Komu často telefonujete nebo mailujete? (maminka, tatínek, manžel, manželka, kamarád, kamarádka, sestra, bratr)

Čemu jste nerozuměli ve škole? (biologie, matematika, fyzika, chemie, angličtina, francouzština, němčina, latina)

Čemu rozumíte? (biologie, matematika, fyzika, chemie, angličtina, francouzština, němčina, latina)

10. Spojte čísla a písmena.

1. Vysvětlíš mi matematiku?
2. Poslal jsi mamince k narozeninám dárek?
3. Už jsi dal učitelce ten test?
4. Omluvili jste se šéfovi, že jste přišli pozdě?
5. Zavoláš mi zítra?
6. Napíšeš dopis synovi ?
7. Půjčíš mi peníze na byt?
8. Řekl jsi to manželce?
9. Vrátil jsi peníze kolegovi?

A. Nemůžu. Nemám tvoje telefonní číslo.
B. Ano. Uvidíš, že to není těžké.
C. Ne. Napíšu mu e-mail.
D. Ne, vrátil jsem peníze jeho manželce.
E. Ano, poslal jsem mamince dopis a dárek.
F. Ano, dal. Doufám, že jsem ho napsal dobře.
G. Ne, ještě jsem to manželce neřekl.
H. Kolik potřebuješ?
I. Neomluvili. Zapomněli jsme na to.

11. Seřaďte text. Najděte 2 dopisy.

Eva dostala dva e-maily: jeden od Petra a druhý od neznámého pána. E-maily se pomíchaly. Napište je správně.

Tvůj Petr. Napište mi prosím, kolik stojí jedna lekce a kdy máte čas. A co dělají naši pes a kočka? Je to tady docela fajn. Se srdečným pozdravem Jan Hýsek. Jak se máš? Na vašich internetových stránkách jsem četl, že učíte češtinu pro cizince. Co pořád děláš? Chtěl bych taky vědět, jakou učebnici a materiály používáte. Hledám učitelku češtiny pro moji přítelkyni. Posílám ti velkou pusu. Vážená slečno Hanušová! Pořád na tebe myslím. Je Italka a už trochu mluví česky. Už se těším, až budu doma a až budeme zase spolu. Potřebuje ale vysvětlit nějakou gramatiku a hodně mluvit. Ahoj, miláčku!

12. Napište formální a neformální dopis.

Vážení přátelé,

S pozdravem,

_____

Čau, _____!

Posílám pusu. Měj se fajn!

_____

13. Co řeknete v téhle situaci?

1. Na diskotéce mluvíte se zajímavým klukem/holkou. Chcete nějaký kontakt.

2. Telefonujete kamarádovi, ale jeho tatínek říká, že kamarád není doma. Vy s ním ale musíte mluvit.

3. Telefonujete do firmy a chcete linku 223. Paní v centrále říká: „Bohužel, je obsazeno."

4. Telefonujete kamarádce, ale kamarádka není doma. Její maminka říká: „Můžu něco vyřídit?"

5. Máte rozbitý mobil, ale kamarádi vám chtějí telefonovat.

7. Nějaký člověk vám volá a říká, že chce mluvit s panem Novákem. Co řeknete?

6. Ve dvě hodiny v noci se probudíte a vidíte, že vaše patnáctiletá dcera ještě není doma. Co uděláte?

14. Doplňte dialogy.

1.

A: _____

B: Ne, Jana bohužel není doma.

A: _____

B: Asi dneska večer kolem deseti hodin.

A: _____

B: Samozřejmě. Moment… Tak, můžete diktovat.

2.

C: _____

D: Ano, tady firma Notex.

C: _____

D: Ne, pan ředitel tady není, ale je tady hlavní manažer.

C: _____

D: … Má obsazeno. Počkáte si?

C: _____

D: Není zač.

3.

E: Dobrý den, tady Honza Beneš. Můžu mluvit s Davidem?

F: _____

E: To je divné. Já jsem volal 75 72 42 56.

F: _____

E: Aha, tak promiňte. To je omyl.

15. Čtěte e-mailové a internetové adresy.

monika@volny.cz   helena.janska@braillnet.cz   *novak@services.cz*

www.seznam.cz   *www.zabava.cz*   www.jizdnirady.cz   **www.ubytovani.cz**

www.slovnik.cz   *www.bohemica.com*   *www.czechstepbystep.cz*

16. Čtěte přání a pozdravy. Pak napište přání k narozeninám / pozdrav z výletu.

Zvičina – Raisova chata, kostel sv. J. Nepomuckého
reprint dobové pohlednice

Krásné Vánoce

a šťastný nový rok 2004

přeje a srdečně zdraví

Rodina Peroutkova

Rodina

Havlova

č 131

Hodslavice

7 4 2 7 7 **|||**

JIZERSKOHORSKÝ PODZIM

Milá teto,

přejeme ti všechno

nejlepší k narozeninám,

mnoho štěstí

a spokojenosti

Ahoj

Vendulka a Dan

Vážená paní

Irena Bucharů

Stinovlasá 2500

Praha 10 - Strašnice

1 0 0 0 0 **|||**

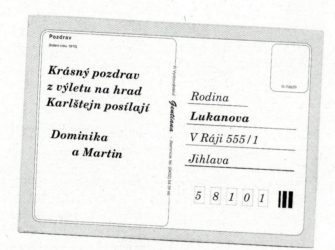

Pozdrav
(kolem roku 1910)

Krásný pozdrav
z výletu na hrad
Karlštejn posílají

Dominika
a Martin

Rodina

Lukanova

V Ráji 555 / 1

Jihlava

5 8 1 0 1 **|||**

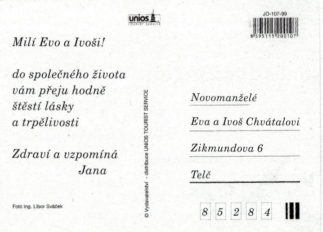

unios
TOURIST SERVICE

JO-107-99

Milí Evo a Ivoši!

do společného života
vám přeju hodně
štěstí lásky
a trpělivosti

Zdraví a vzpomíná
Jana

Foto Ing. Libor Sváček

Novomanželé

Eva a Ivoš Chvátalovi

Zikmundova 6

Telč

8 5 2 8 4 **|||**

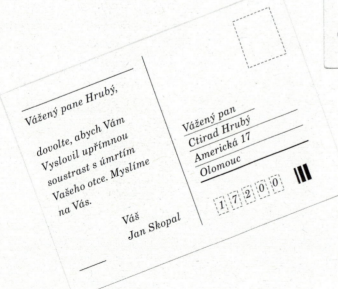

Vážený pane Hrubý,

dovolte, abych Vám
Vyslovil upřímnou
soustrast s úmrtím
Vašeho otce. Myslíme
na Vás.

Váš
Jan Skopal

Vážený pan
Ctirad Hrubý
Americká 17
Olomouc

1 7 2 0 0 **|||**

Hezké Velikonoce

a krásné jaro roku

2004 přejí

a pusu posílají

Eva, Jana a Pavel

neprodejné

Rodina

Soukalova

Kostelní 32/182

Dolní Součky

2 5 6 0 0 **|||**

Lekce 18

1. Řekněte, kdo je kdo.

Kdo je kdo?

1. Má bílý kostým, elegantní boty a černou halenku.
2. Má černou halenku, elegantní boty a kalhoty.
3. Má košili a džíny a v uších má náušnice.
4. Má košili a šortky a v nose má náušnici.
5. Má kalhoty, košili, barevnou kravatu a vousy.
6. Má kalhoty, košili, barevnou kravatu a nemá vlasy.
7. Má sako, rolák, kalhoty a nemá vlasy.
8. Má sukni, tričko a má brýle.
9. Má černý rolák, džíny a má černé vlasy.

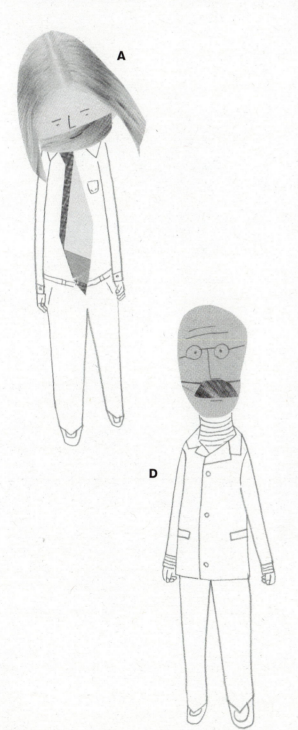

2. Jaký obraz se vám líbí / nelíbí? Proč?

3. Téma ke konverzaci:

Jaká hudba / filmy / písničky / skupina / architektura se vám líbí / nelíbí? Proč?

4. Hádejte, kolik je mu / jí let.

1.

Marian

2.

Lucie

3.

Jirka

4.

Katka

5.

Magda

5. Doplňte věty z tabulky do textů.

| A. Nesluší mi to. | B. Líbí se ti to? | C. Ne, to se mi nehodí. |
| D. Co je ti? Není ti špatně? | E. Nechutná mi to. | F. Hodí se ti to? | G. Nejde mi to. |

1. Váš kolega v práci vypadá špatně. Je unavený a smutný, nemluví a nepracuje. Ptáte se ho:

„_____ "

2. Jste na kontrole u doktora. Doktor říká: "Musíte přijít ještě jednou. Můžete ve středu ráno?" Vy říkáte:

„_____ Můžu přijít ve čtvrtek? "

3. Vaše patnáctiletá sestra jde na diskotéku. Stojí před zrcadlem, zkouší si šaty a zlobí se: „Vypadám strašně.

_____ "

4. Telefonuje vám kamarádka. „Už jsme se dlouho neviděli," říká. „Nechceš jít na kávu? Já mám čas zítra odpoledne.

_____ "

5. Díváte se s kamarádem na nový film v televizi. Kamarád se vás ptá: „Tak co na to říkáš?

_____ "

6. Otvíráte konzervu, ale pořád ji nemůžete otevřít. Zkoušíte to zase a zase, ale nakonec říkáte:

„_____ "

7. Pozvali jste kamarádku na oběd do restaurace. Objednala si exotické jídlo, ale teď sedí a nejí. „Proč nejíš? "

ptáte se. „_____ ", říká.

6. Co na to říkají Filip a Zuzana? Co na to říkáte vy?

Například: káva – chutnat: 1. Káva **Filipovi** chutná, ale **Zuzaně** nechutná. 2. Káva **mi** chutná / nechutná.

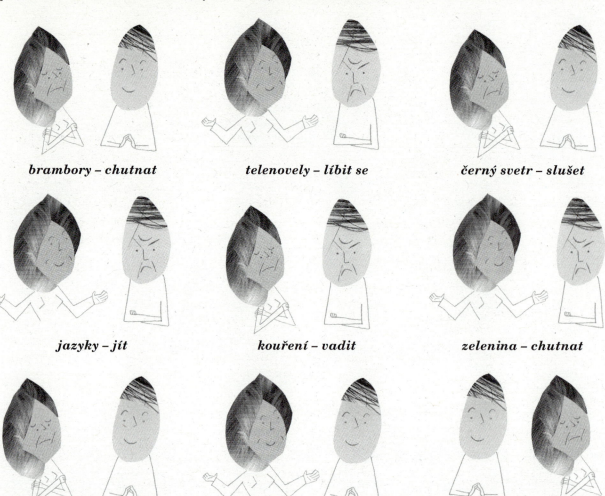

brambory – chutnat	*telenovely – líbit se*	*černý svetr – slušet*
jazyky – jít	*kouření – vadit*	*zelenina – chutnat*
krátké vlasy – líbit se	*matematika – jít*	*špatné počasí – vadit*

7. Dejte slova v závorce do správného tvaru.

Například: (Ten student) je 17 let. **Tomu studentovi** je 17 let.

1. (Kamarádka) je zima. – _____

2. (Kamarád) je vedro. – _____

3. (Kolega) je špatně. – _____

4. (Syn) je už docela dobře. – _____

5. (Babička a dědeček) bude příští rok 70. – _____

6. (Kritik) se líbí divadelní hra. – _____

7. (Kluk) sluší džíny. – _____

8. (Pacient) vadí velký hluk. – _____

8. Opravte pořádek slov. POZOR na druhou pozici!

1. Ten termín mi se nehodí. _____

2. Ti ta barva sluší. _____

3. To město mi líbí se. _____

4. Ten salát nechutná nám. _____

5. Je zima ti? _____

6. Je špatně mu? _____

7. Ta moje polévka nechutná mu. _____

8. Jí ta barva nesluší. _____

9. Ten dům mi nelíbí se. _____

10. Ten vám salát nechutná. _____

11. Je dobře mi. _____

12. Je zima ti? _____

9. Doplňte osobní zájmena v dativu.

1. Doufám, že _____ (vy) to jídlo bude chutnat. _____ (kamarád) moc chutnalo.

2. Nelíbí se _____ (já) ten nový ošklivý moderní dům. Líbí se _____ (já) ten starý.

3. Nevadí _____ (ty), že o víkendu nepojedeme na výlet?

4. _____ (maminka) moc slušely ty růžové šaty, když byla mladá. Viděla jsem její fotografie.

5. Dneska _____ (tatínek) ta polévka vůbec nechutnala. Byla nějaká divná.

6. Chtěl bych vás pozvat na návštěvu. Hodí se _____ (vy) to v pátek večer?

7. Babička má dneska narozeniny. Bude _____ (ona) 80 let. _____ (dědeček) by letos bylo 89.

8. Dneska mě celý den bolí hlava a práce _____ (já) nejde.

9. Nevadí _____ (ty), když poslouchám hudbu? – Ne, dobrá hudba _____ (já) nikdy nevadí.

10. Jak se _____ (vy) líbil ten nový film od Speilberga? – Víc se _____ (já) líbily jeho starší filmy.

11. Co je _____ (ty)? Není _____ (ty) špatně? – Nevím, je _____ (já) nějaká zima.

12. Kolik je _____ (Lukáš)? – Nevím, asi 18. _____ (Eva) je 15, že? Tak _____ (on)
musí být 19.

10. Jak budete reagovat?

1. Moc ti to sluší.

2. Sejdeme se zítra. Hodí se ti to?

3. Jak ti jde škola?

4. Líbí se ti v České republice?

5. Proč ti nechutná české jídlo?

6. Proč ti vadí kouř z cigarety?

7. Šla ti ve škole matematika?

8. Co je ti? Není ti špatně?

11. Doplňte prepozice k, proti, díky a kvůli.

1. Bolel mě zub a musel jsem jet _____ doktorovi.

2. Nejeli jsme na výlet _____ špatnému počasí.

3. _____ sestře jsem udělal zkoušku. Pomohla mi.

4. Ekologové protestovali _____ nové elektrárně.

5. _____ špatné situaci naší firmy nemůžu odjet.

6. Jdeme na oběd _____ mamince.

7. Co máš _____ mé přítelkyni? Pořád ji kritizuješ.

8. Musím jít _____ holiči.

12. Vyberte správnou prepozici.

1. Zajel jsem *u – v – na – do* garáže.

2. Jeli jsme *do – k – proti – v* moři a pak jsme byli *na – u – do – k* moře celý měsíc.

3. Včera jsem pracovala *do – k – z – na* půlnoci.

4. Soused tady bydlel *k – v – od – pro* roku 1992 *k – z – s – do* roku 1996.

5. Čekám *z – v – na – do* kamarádku.

6. V létě pojedeme *do – k – proti – v* Itálie a pak *do – k – na – v* Moravu.

7. Přijedu *bez – v – na – do* Hlavní nádraží *v – na – o – pro* 6 hodin.

8. Dívali jsme se *k – z – na – do* televizi.

9. Mám ráda silný čaj *proti – bez – k – o* mléka a cukru.

10. Tenhle byt jsem našel *díky – proti – kvůli – k* kamarádovi.

11. *O – z – na – v* víkendu chceme jít *k – v – na – do* divadla.

12. Není ti něco? Vypadáš špatně. Měl bys jít *na – do – k – u* doktorovi.

13. Včera jsem byla *k – z – u – v* kamarádky.

14. Pojedu *o – do – k – u* víkendu *o – na – k – u* babičce.

15. Koupil jsem stůl *od – v – bez – z* kamaráda *pro – na – u – za* 600 Kč.

16. Musím být doma *kvůli – blízko – proti – k* nemocnému synovi.

17. Hledáte paní Bílou? Není tady, šla *do – k – od – v* doktorovi.

18. Šli jsme *v – do – o – pro* obchodu *v – do – za – pro* kávu.

19. Půjdeme *v – do – o – pro* restaurace *do – na – za – pro* oběd?

20. *Do – k – na – proti* bance je cukrárna.

21. Včera jsme celý večer mluvili *proti – o – vedle – k* politice.

22. Dostala jsem krásný svetr *za – na – pro – o* 1000 korun.

23. Moje oblíbená restaurace je *na – od – k – blízko* lékárny.

24. *Do – na – od – v* náměstí je krásná barokní fontána.

25. Včera byla demonstrace *proti – díky – vedle – pro* terorizmu.

26. Dostala jsem krásný dárek *proti – díky – od – z* manžela.

27. Potřebuju šampon *pro – na – kvůli – za* vlasy.

13. Naplánujte den s kamarádem / kamarádkou, který / která přijede poprvé do vašeho města.

Den s kamarádem / kamarádkou

1. Sejdeme se v _____ hodin v/na/u _____

2. Snídat budeme v/na/u _____

3. Dopoledne půjdeme do/na/k _____

4. Uvidíme tam _____

5. Obědvat budeme v/na/u _____

6. Odpoledne půjdeme do/na/k _____

7. Uvidíme tam _____

8. Večeřet budeme v/na/u _____

9. Večer půjdeme do/na/k _____

10. Pak půjdeme do/na/k _____

11. Spát půjdeme v _____ hodin. _____

Lekce 19

1. Doplňte slova z tabulky do vět.

nástroj	nábytek	hudební nástroj	příbor
elektronika	dopravní prostředek	sportovní potřeba	oblečení

1. Nůž a nůžky jsou _____

2. Židle, postel, stůl a skříň jsou _____

3. Magnetofon, televize, walkman, rádio a CD přehrávač jsou _____

4. Flétna, kytara, saxofon a klavír jsou _____

5. Auto, autobus, vlak, tramvaj, letadlo a loď jsou _____

6. Tričko, šaty, kalhoty, bunda, svetr a kabát jsou _____

7. Raketa, lyže, brusle a míč jsou _____

8. Lžíce, vidlička, nůž a lžička jsou _____

2. Podtrhněte správnou formu.

1. Hraju tenis *raketa a míč / raketou a míčem*.
2. Oblékám si *svetr / svetrem*.
3. Myju se *mýdlo / mýdlem*.
4. Píšu *tužka a pero / tužkou a perem*.
5. Prosím tě, kde je *lžička / lžičkou?*
6. Jím *vidlička a nůž / vidličkou a nožem*.
7. Musím koupit *šampon / šamponem*.
8. Míchám kávu *lžička / lžičkou*.

9. Myju si vlasy *šampon / šamponem*.
10. Často pracuju *počítač / na počítači / počítačem*.
11. Poslouchám *walkman / walkmanem*.
12. Hraju *kytara / na kytaru / kytarou*.
13. Jím *papriku / paprikou*.
14. Krájím chleba *nůž / nožem*.
15. Cestuju *auto a letadlo / autem a letadlem*.
16. Často používám *počítač / na počítači / počítačem*.

3. Doplňte sloveso. Dělejte věty.

Například: metro, metrem, v metru: Vidím **metro**. Do školy jezdím každý den **metrem**. Ztratil jsem pas **v metru**.

1. _____ vlakem.
2. _____ vlak.
3. _____ ve vlaku.
4. _____ v autě.
5. _____ autem.
6. _____ auto.
7. _____ letadlo.
8. _____ v letadle.
9. _____ letadlem.
10. _____ do autobusu.
11. _____ autobusem.
12. _____ v autobusu.
13. _____ autobus.

14. _____ kamarád.
15. _____ ke kamarádovi.
16. _____ s kamarádem.
17. _____ pro kamaráda.
18. _____ kamarádovi.
19. _____ o kamarádovi.
20. _____ bez kamaráda.
21. _____ kamarádka.
22. _____ o kamarádce.
23. _____ bez kamarádky.
24. _____ s kamarádkou.
25. _____ ke kamarádce.
26. _____ s kamarádkou.

4. Doplňte slova z tabulky. POZOR na správné formy!

fakulta	docela	dobrá postava	odejít
salon	založit	literatura	umět
medicína	čajovna	do	dvakrát
za týden	skončit	poznávat	kancelář

Jakub Hanák

Jakub je inženýr. Je mu 27 let. Miluje sport, hlavně vodu a lyže. V létě plave a surfuje a v zimě hodně lyžuje. Jezdí na hory do Francie a do Rakouska. _____ chodí hrát fotbal. Kultura ho moc nebaví, ale _____ rád cestuje. Jednou by chtěl jet _____ Antarktidy a žít tam rok nebo dva.

Leoš Bém

Leoš studuje na filozofické _____ Karlovy Univerzity. Je mu 22 let. Moc rád čte – je typický knihomol. Má rád klasickou i moderní _____ Občas hraje volejbal nebo jde do _____, ale nemá moc kamarádů. Chtěl by dělat doktorát a pracovat na fakultě jako asistent.

Filip Pešat

Filipovi je 21 let. Studuje matematiku, ale moc mu to nejde. Plánuje, že _____ ze školy a _____ vlastní počítačovou firmu. Myslí si, že může docela dobře žít i bez univerzity. Chtěl by pracovat jako počítačový technik, prodávat a opravovat počítače. _____ taky programovat a samozřejmě strašně rád hraje počítačové hry.

Markéta Syrovátková

Markéta je studentka _____ Je jí 20 let. Studuje dobře a medicína ji moc baví. Když má čas a neučí se na zkoušky, chodí do filmového klubu nebo s kamarády do _____ Chodí do kostela, protože je věřící. Až _____ školu, chtěla by pomáhat lidem v Africe.

Karolína Černá

Karolíně je 21 let a je kosmetička. Pracuje v kosmetickém _____ a hodně vydělává. Chtěla by si dělat masérský kurz a dělat masáže. Hodně sportuje, trénuje karate a hraje volejbal. Plánuje, že na rok nebo na dva pojede do Ameriky pracovat jako au-pair. Ráda _____ nové lidi a země.

Adéla Benešová

Adéla pracuje v cestovní _____ jako sekretářka. Je jí 24 let. Je veselá, energická a hodně sebevědomá. Má ráda módu a hezké oblečení. Cvičí aerobik a chodí běhat, protože chce mít _____ Ráda chodí do kina na romantické filmy a komedie a s kamarády hraje biliard nebo bowling.

5. Kde se lidi nejčastěji seznamují? Kde se seznamovali v minulosti? Najděte víc možností.

diskotéka	**tramvaj**		**vlak**	**letadlo**
internet		**inzerát**	**práce**	
dovolená	**kavárna**		**ples**	**klub**
seznamovací kancelář	**škola**		**restaurace**	

6. Poslouchejte text *S kým, kde, kdy a jak se seznámili?* z učebnice. Opravte chyby.

Jitka: S Pavlem a Vlaďkou jsem se poprvé potkala v roce 1999 v Ekvádoru u krásného vulkanického moře, které je 3 000 metrů nad mořem. Pracovala jsem v Indii, sama Češka mezi Angličany, Američany a Ekvádorci. Jednou jsem šla na výlet do hor. Bylo krásné ráno. Stála jsem sama u jezera a dívala jsem se dolů do kráteru. Najednou jsem uslyšela, jak někdo česky říká: „To je šok, viď." To bylo překvapení – Češi v Ekvádoru. Pavel a Vlaďka se tam zastavili na cestě kolem Ekvádoru. Pozvala jsem je domů a od té doby jsme kamarádi. A kde jsou teď? Asi někde v Japonsku.

Linda: V roce 2001 jsem pracovala jako učitelka francouzštiny v mezinárodní jazykové škole v Budapešti v Maďarsku. Vždycky, když přišel nějaký starý učitel, jsem s ním musela projít školu a všechno mu vysvětlit. Jednou přišel jeden fotograf, který mi byl moc sympatický. Asi půl hodiny jsem mu vysvětlovala, jak musí používat počítač a jak funguje náš speciální program. Moc nemluvil a jen se usmíval. Když odešel, řekla jsem řekla kolegyni: „Snad tomu bude rozumět." A ona reagovala: „Kdo, Robert Cullighan? To je ten člověk, co ten program nikdy neviděl. To je autor toho programu!" No, a pak zazvonil telefon a David – dneska můj manžel – mě pozval na večeři.

Radka: Minulý rok v létě jsem se probudila ráno a nebylo mi dobře. Bolela mě hlava a zuby. Řekla jsem si, že nepůjdu do práce, ale půjdu na návštěvu. Asi deset minut jsem musela čekat na tramvaj. Byla zima, pršelo a já jsem měla špatnou náladu. Když vlak konečně přijel, nastupovalo hodně lidí a nějaký člověk do mě strčil. „Prosím vás, co děláte?" vykřikla jsem. „Vy jste tygr." Pak jsem přišla k doktorovi a asi tři hodiny jsem tam čekala. Když mě sestra zavolala do ordinace, byl to šok: za stolem seděl ten „krokodýl" z tramvaje. No, a teď s ním chodím už skoro rok.

Pavel: V roce 1992 jsem pracoval v městském centru. Jednou v létě udělalo muzeum výstavu o Austrálii. Výstava byla docela nepopulární a chodilo tam hodně turistů. Protože mluvím čínsky, tak jsem s nimi chodil po výstavě a ukazoval jsem jim obrazy. „Tohle je Jakarta," řekl jsem u jedné fotografie. „Ano, a tady v tom domě nakupuju," řekl anglicky jeden z turistů. A tak jsem se seznámil s Aangem. Píšeme si, Aang jezdí do Česka a já jsem byl v roce 1999 na tři týdny v Indonézii.
To bylo super.

7. Seřaďte příběh. Přidejte víc detailů.
Například: **Seznámili se** na vánoční party, kterou dělala jejich firma. **Potkávali se** každý den v práci.

Příběh se smutným koncem

Hádali se.	**Scházeli se.**	**Potkávali se.**
Rozvedli se.	**Seznámili se.**	**Žili spolu.**
Měli svatbu.	**Rozešli se a nebydleli spolu.**	**Chodili spolu.**

8. Spojte věty s infinitivy sloves.

1. Rozvedli se.
2. Hádali se.
3. Scházeli se.
4. Potkávali se.
5. Seznámili se.
6. Žili spolu.
7. Rozešli se.
8. Chodili spolu.
9. Měli svatbu.

A. scházet se/sejít* se
B. mít svatbu
C. rozcházet se/rozejít* se
D. hádat se/pohádat se
E. rozvádět se/rozvést* se
F. seznamovat se/seznámit se
G. žít* spolu
H. potkávat se/potkat se
I. chodit spolu

9. Seřaďte příběh (1 – 11).

Příběh se šťastným koncem

_____ Když jsem se ženil, bylo mi 26 let.

_____ Byl jsem moc smutný.

_____ Teď se těšíme, že za pár měsíců budeme tři.

_____ No, pravda je že ona se rozešla se mnou.

1. _____ Jmenuju se David Jandák a do Prahy jsem přišel studovat v roce 1990.

_____ Chodili jsme spolu tři roky a v roce 1996 jsme měli svatbu na zámku Konopiště.

_____ Když jsem přijel z dovolené, potkal jsem ji v knihovně a pozval jsem ji na kafe.

_____ Tady v Praze se rozvádí skoro každé druhé manželství, ale doufám, že my se nerozvedeme.

_____ Když jsem studoval, chodil jsem s jednou holkou, jmenovala se Irena, ale rozešli jsme se.

_____ Pak jsem se v roce 1993 na dovolené v Itálii seznámil s Danielou.

_____ Bylo nám spolu fajn a začali jsme spolu chodit.

10. Téma ke konverzaci:

1. Svatba – pro a proti. Proč spolu žije tolik mladých lidí bez svatby?
2. Proč je pořád víc a víc lidí, kteří žijou jako „single", bez partnera?
3. Myslíte, že je dobré, když spolu partneři žijou před svatbou?
4. Co si myslíte o registrovaném partnerství homosexuálů?
5. V jakém věku je nejlepší mít děti?
6. Jak velká rodina je podle vás ideální? Jaké jsou výhody a nevýhody třígenerační rodiny?

11. Spojte imperfektivní a perfektivní slovesa. Dělejte věty.

scházet se	sejít se	_____ / _____
brát se	vzít se	_____ / _____
rozcházet se	rozejít se	_____ / _____
hádat se	pohádat se	_____ / _____
rozvádět se	potkat	_____ / _____
seznamovat se	rozvést se	_____ / _____
potkávat	seznámit se	_____ / _____

12. Spojte slovesa a substantiva.

scházet se/sejít se rozcházet se/rozejít se	schůze rozchod
hádat se/pohádat se rozvádět se/rozvést se	rozvod hádka schůzka
seznamovat se/seznámit se	seznámení

13. Poslouchejte text *Tragická hádka*. Zaškrtněte, co je/není pravda.

	ANO	NE
1. Byl smutný podzimní den.	☐	☐
2. Od rána silně sněžilo.	☐	☐
3. Inspektor a komisař seděli v hospodě a hráli karty.	☐	☐
4. Nějaká žena volala, že její přítelkyně spáchala sebevraždu.	☐	☐
5. Inspektor a komisař byli v bytě Martina Jiráka za pět minut.	☐	☐
6. Mladá žena, která tam čekala, měla bílé džíny a krásný účes.	☐	☐
7. Žena byla sousedka Martina Jiráka.	☐	☐
8. Žena nevolala na policii.	☐	☐
9. Žena se jmenovala Sandra Jiráková.	☐	☐
10. Martin přišel ráno z hospody opilý.	☐	☐
11. Sandra řekla, že se s Martinem pohádala.	☐	☐
12. Sandra řekla, že odešla z bytu a celý den chodila po parku.	☐	☐
13. Revolver nebyl Martina, ale jeho kamaráda.	☐	☐
14. Martin byl profesor.	☐	☐
15. Inspektor a komisař myslí, že Martin Jirák spáchal sebevraždu.	☐	☐

14. Dělejte věty. Použijte slova z textu *Tragická hádka*.

1. být obchodník – _____

2. jít do parku – _____

3. v bílém tričku– _____

4. být opilý – _____

5. pohádat se – _____

6. zamilovat se do – _____

7. tiše odejít z bytu – _____

8. smutný podzimní den – _____

9. zavolat policii – _____

10. mít doma peníze– _____

15. Doplňte instrumentál sg. Když je to nutné, doplňte prepozici *s/se*.

1. Aleš se rozešel _____ (Barbora).

2. Ivana se rozvedla _____ (Jaroslav).

3. Malý David umí jíst _____ (lžička).

4. Piju čaj _____ (mléko).

5. Často jezdím _____ (autobus).

6. Jana měla svatbu _____ (Ondřej).

7. Nikdy nemícháme kávu _____ (nůž).

8. Máš rád kávu _____ (cukr)?

9. Nepíšu na počítači, a proto musím psát dopisy _____ (tužka).

10. Do města pojedu _____ (tramvaj).

11. Myjete si vlasy _____ (šampon)?

12. Hraju tenis _____ (raketa).

13. Víš, že Tadeáš chodí _____ (Veronika)?

14. Na diskotéce jsem se seznámil _____ (holka).

15. Pohádala jsem se _____ (ředitel).

16. Pojedeš _____ (taxík) nebo _____ (metro)?

17. Napíšeš to _____ (tužka)?

18. Máš rád kávu _____ (šlehačka)?

19. Do Ameriky poletím _____ (letadlo).

20. Do kina půjdu _____ (kamarád) nebo _____ (kamarádka).

16. Jak budete reagovat?

Váš kamarád říká:
„Seznámil jsem se s fantastickou holkou.“

Váš kolega říká: „Budu se ženit.“

Vaše kolegyně říká: „Víš, že čekám dítě?“

Lekce 20

1. Podtrhněte prepozice, které mají instrumentál. Dělejte věty.

na		do		mezi		o		z		k		nad
bez			pro			u	vedle		blízko		pod	
	před		kolem	okolo		v		uprostřed		s		za

1. _____

2. _____

3. _____

4. _____

5. _____

6. _____

2. Řekněte, co kde je. Používejte prepozice.

3. Řekněte, kdo kde bydlí.

Kdo kde bydlí?

Tomáš bydlí v bytě pod Janou. Irena bydlí v bytě pod Tomášem a nad Veronikou. Martin bydlí proti Veronice. Pod Martinem bydlí Petr a nad Martinem Karolína. Lukáš bydlí v bytě pod Veronikou. Jakub bydlí proti Janě. Zuzana bydlí v bytě mezi Jakubem a Karolínou.

4. Změňte věty podle modelu.
Například: Dávám tašku pod stůl. – Taška je **pod stolem**.

1. Dám květinu nad stůl. – _____
2. Dám pero mezi vázu a lžičku. – _____
3. Dám knihu pod skříň. – _____
4. Dám auto za dům. – _____
5. Dám kabelku pod židli. – _____
6. Dám fotografii nad obraz. – _____
7. Dám polici nad knihovnu. – _____

5. Změňte věty podle modelu.
Například: Dám tužku na stůl. – Tužka je **na stole**.

1. _____ – Obraz je nad gaučem.
2. _____ – Kolo je za domem.
3. _____ – Krabice je pod gaučem.
4. _____ – Kufr je mezi skříní a postelí.
5. _____ – Klíč je pod rohožkou.
6. _____ – Peníze jsou pod postelí.
7. _____ – Krabice je mezi židlí a počítačem.
8. _____ – Dárky jsou za postelí.

6. Pracujte se slovníkem. Hledejte význam nápisů, které můžete vidět kolem.

ZAVŘENO PĚŠÍ ZÓNA VYPRODÁNO

OBSAZENO Vstup zakázán

POZOR! NEBEZPEČÍ! OBJÍŽĎKA

Prosíme, nekuřte! OTEVŘENO Pozor, schod!

7. Používejte imperativy. Řekněte proč.

Například: Musíš spát! – Spi, protože jsi unavený a ráno musíš brzo vstávat!

1. Musíš jít domů! _____

2. Musíš dávat pozor! _____

3. Musíš být silný! _____

4. Musíš se učit! _____

5. Musíš sníst ten guláš! _____

6. Musíš být hodný! _____

7. Musíš přijít zítra večer! _____

8. Musíš zaplatit! _____

9. Musíš plavat! _____

10. Musíš uvařit oběd! _____

8. Dokončete větu.

1. Buď _____

2. Jezte _____

3. Jdi _____

4. Jeď _____

5. Dělej _____

6. Dej _____

7. Kup _____

8. Měj _____

9. Pozdravuj _____

10. Přijď _____

9. Pracujte se slovníkem. Co znamenají slova v tabulce?

bát se*	vražda	lhát*	sebeobrana	střílet/střelit	prostřelit

10. Spojte čísla a písmena (slovesa a jejich imperativy).

1. bát se*
2. jít
3. otvírat/otevřít
4. dívat se/podívat se
5. volat/zavolat
6. říkat/říct*
7. lhát*
8. dávat/dát

A. podívejte se!
B. nelžete!
C. otevřete!
D. nebojte se!
E. řekněte!
F. dejte!
G. jděte!
H. zavolejte!

11. Seřaďte příběh.

Sebeobrana nebo vražda?

1. Byl klidný letní večer. Inspektor Holmík a komisař Mulík šli z práce. Chtěli jít do hospody na pivo, ale najednou uslyšeli, jak z blízkého domu někdo volá: „Pomoc! Pomoc! Tady někdo střílí!"

_____ Komisař Mulík reagoval rychle. „Pane Malý, vy lžete! Nelžete a dejte ruce vzhůru.

_____ Žena ukazovala nahoru. „Jděte do třetího patra! Slyšela jsem, jak tam někdo střílí."

_____ Nervózní muž jim řekl: „Jmenuju se Leo Malý. Alex Maršálek byl můj obchodní partner. Pohádali jsme se o peníze. Měl revolver. Podívejte se! Prostřelil mi čepici! Musel jsem taky střílet. Byla to sebeobrana!"

_____ Vešli do domu a našli tam starší ženu, která volala o pomoc. Komisař a inspektor ji uklidňovali: „Nebojte se! My jsme policisti! Řekněte nám, kde někdo střílel?"

_____ Komisař řekl: „Jak se jmenujete? Řekněte nám všechno, co víte!"

_____ Komisař a inspektor běželi nahoru do třetího patra. Uviděli zavřené dveře bytu. Na dveřích bylo jméno LEO MALÝ. Komisař Mulík zazvonil. „Tady policie! Otevřete!"

_____ Otevřel jim nějaký muž v černém tričku. Byl bledý a nervózní. Policisti rychle vešli do bytu. V pokoji ležel člověk. Všude byla krev. Komisař řekl inspektorovi: „Zavolej doktora!" Ale muž v černém tričku řekl: „Je mrtvý. Zastřelil jsem ho."

9. Proč si inspektor Holmík a komisař Mulík myslí, že to nebyla sebeobrana, ale vražda?

12. Spojte neformální a formální imperativy sloves z textu. Pak dělejte nové věty.

dej!		nelži!		zavolejte!	jděte!	řekněte!
podívej se!	neboj se!	otevři!		podívejte se!	nebojte se!	dejte!
jdi!	zavolej!	řekni!		otevřete!		nelžete!

13. Vymyslete situace, kde byste použili tyhle imperativy.

Stůj nebo střelím!   **Chyť to!**   *Chyťte ho!*

Uteč!   **NEDÁVEJ TO TAM!**   **Nesměj se!**   **Neotvírej!**

Jdi pryč!   *Nestřílej!*   **Nedívej se!**   **SEDNI SI !**

14. Co řeknete v téhle situaci? Doplňte imperativy z tabulky.

Co řeknete, když...

1. ...chcete, aby vaše dítě nezlobilo?
2. ...chcete, aby váš kamarád zavřel okno?
3. ...chcete, aby váš pes byl hodný?
4. ...chcete, aby vás neznámý člověk neobtěžoval?
5. ...chcete, aby vám někdo podal kečup?
6. ...chcete, aby řidič otevřel dveře autobusu?
7. ...chcete, aby vám kamarád poradil?
8. ...chcete, aby na vás kamarádka počkala?
9. ...chcete, aby kamarádi spěchali?

A. Nechte mě!

B. Počkej!   **C. Otevřete, prosím!**

D. Buď hodný!   **E. Poraď mi!**

F. Podej mi to!   **G. Honem! Dělejte!**

H. Nezlob!   **I. Zavři to!**

15. Myslíte, že návody k použití jsou nudné? Přečtěte si tyhle! Najděte a podtrhněte imperativy.

NEPOUŽÍVEJTE JAKO OCHRANU PROTI TORNÁDU!
(na přikrývce z Tchaj-wanu)

NÁVOD K POUŽITÍ: OTEVŘETE BALÍČEK A SNĚZTE OŘÍŠKY!
(na balíčku oříšků od American Airlines)

PAMATUJTE, ŽE PŘEDMĚTY, KTERÉ VIDÍTE, JSOU VE SKUTEČNOSTI ZA VÁMI!
(na zrcátku na zpětném zrcátku pro americké motoristy)

TENTO VÝROBEK NEBYL TESTOVÁN NA ZVÍŘATECH!
(na spreji proti hmyzu z Nového Zélandu)

POZOR! VÝROBEK OBSAHUJE OŘECHY!
(na arašídech od Sainsbury's)

NÁVRH NA ÚPRAVU: ODMRAZIT!
(na některých mražených jídlech)

POUŽÍVEJTE POUZE NA JEDNU HLAVU.
(na sáčku na čepici na koupání v jednom hotelu)

NEŽEHLETE OBLEČENÍ NA TĚLE!
(na krabici se žehličkou)

JEDNÍM Z VEDLEJŠÍCH PŘÍZNAKŮ MŮŽE BÝT NEVOLNOST!
(na žvýkačce proti nevolnosti při jízdě autem nebo autobusem)

POZOR! ZPŮSOBUJE OSPALOST!
(na prášku na spaní)

16. Hledejte v tabulce typická česká jména pro psy a kočky. Podtrhněte je. Dělejte vokativ.

Jana		Irena		Jirka		Punťa		Lenka		Micka		Fifinka
Alice		Alík		Brita		Fík		Jana		Baryk		Max		Radek
Ben	Radovan		Mourek		Josef		Rek		Robert		Kikina		Macek

17. Dělejte vokativ.

1. Jakub _____
2. Milan _____
3. Ivan _____
4. David _____
5. Marek _____
6. tatínek _____
7. Lukáš _____
8. Tomáš _____
9. Aneta _____
10. Jarmila _____
11. Jana _____
12. Lucie _____
13. Marie _____
14. Judy _____
15. Lori _____
16. Carmen _____

18. Co jim říkáte? Dokončete věty.

1. Zlato, _____
2. Miláčku, _____
3. Ty osle, _____
4. Ty huso, _____
5. Maminko, _____
6. Tatínku, _____
7. Babičko, _____
8. Dědečku, _____
9. Pane doktore, _____
10. Paní doktorko, _____
11. Pane učiteli, _____
12. Paní učitelko, _____
13. Pane prezidente, _____
14. Paní prezidentko, _____

Klíč ke cvičením

Key to exercises / Lösungschlüssel

Lekce 1

3/1 1. z Británie 2. z Německa 3. z Ruska 4. z Francie 5. ze Španělska 6. z Itálie 7. z Turecka **3/2** 1. autobus 2. metro 3. auto 4. tramvaj 5. taxi 6. hotel **4/3** 1D, 2F, 3E, 4C, 5G, 6A, 7B **4/4** Kontrola viz Textová příloha strana 239. **5/5** 1. Ahoj. Čau. – Dobrý den. 2. Jak se jmenuješ? – Jak se jmenujte? 3. Odkud jsi? – Odkud jste? 4. Jak se máš? – Jak se máte? 5. Kde bydlíš? – Kde bydlíte? 6. Co děláš? – Co děláte? 7. Ahoj. Čau. – Na shledanou. **5/7** já jsem, ty jsi/jseš, on/ona/to je, my jsme, vy jste, oni jsou **5/10** ty nejsi, vy nejste, ona není, on není, my nejsme, oni nejsou, já nejsem, to není **8/17** Dobrou chuť! Na zdraví!

Lekce 2

9/1 asistentka, kamarádka, učitelka, studentka, manželka, kolegyně, profesor, prezident, premiér, milionář, vegetarián, muž **9/2** 1. je 2. jste 3. jsem 4. je 5. je 6. jsi 7. jste 8. je 9. jsou 10. jsme 11. jste 12. jsi **9/3** 1. tužka – F 2. televize – F 3. batoh – M 4. hrnek – M 5. počítač – M 6. lampa – F 7. židle – F, 8. stůl – M **9/4** 1. M 2. F 3. N 4. F 5. F 6. M 7. M 8. F 9. F 10. M 11. F 12. F 13. F 14. N 15. M 16. N 17. F 18. F 19. F 20. F 21. N 22. F 23. M 24. M 25. F 26. F 27. M 28. F 29. N 30. F **10/5** 1. ta 2. to 3. ten 4. ta 5. ten 6. ta 7. ten 8. to 9. ten 10. to 11. ten 12. ta 13. to 14. ta 15. ta **10/7** 1. moje 2. tvůj 3. tvůj 4. její 5. náš 6. váš 7. jejich 8. tvoje 9. jejich 10. moje 11. jeho 12. tvoje 13. její 14. náš 15. jejich 16. moje 17. vaše 18. tvůj 19. váš 20. tvoje 21. jejich 22. moje 23. její 24. náš 25. jeho 26. tvoje 27. náš **11/9** chudý – bohatý, veselý – smutný, starý – mladý/nový, malý – velký, krásný – ošklivý, silný – slabý, dobrý – špatný, drahý – levný, hubený – tlustý **11/11** velký dům, mladý člověk, smutný klaun, teplá/horká káva, drahé auto, špatný kolega, stará žena, lehký problém, těžká gramatika, tlustý muž, malé pivo, studený čaj, nové auto, zdravé dítě **11/12** veselý, silný, lehký, hubený, studený, dynamický, abstraktní, těžký, kvalitní, horký, smutný, malý, energický, levný, krásný, nemocný, moderní, hezký, velký **12/14** 1. babička 2. dědeček 3. jeho maminka 4. jeho tatínek 5. jeho sestra 6. jeho švagr 7. jeho bratr 8. jeho švagrová 9. jeho neteř 10. jeho synovec **13/15** matka – otec, sestra – bratr, paní – pán, vnučka – vnuk, babička – dědeček, sestřenice – bratranec, holka – kluk **13/16** 1. jeho 2. její 3. jejich 4. náš 5. její 6. jeho 7. jejich 8. její 9. tvůj **13/17** 1. Milan 2. Evžen 3. Lucinka 4. František 5. Stanislav 6. její švagr 7. její tchyně 8. její snacha 9. její děti 10. její maminka **14/18** 1F, 2D, 3A, 4C, 5B, 6E **14/19** 1. Jaká je ta kniha? 2. Co je to? 3. Kdo je to? 4. Co je to? 5. Čí je tahle tužka? 6. Kdo je tady? 7. Jaká je moje kamarádka? 8. Jaký je tenhle problém? **14/20** 1. Josef Novák je Čech. Je můj kamarád. Jeho manželka se jmenuje Františka Nováková. Josef je starý pán, ale je zdravý a energický. Jeho manželka paní Nováková je taky stará paní. Je moc sympatická, ale bohužel je nemocná. To je škoda. 2. Carmen Bartáková je fotografka. Je moje kamarádka. Je Američanka, ale je v České republice. Její manžel se jmenuje David Barták a je Čech. Je taky fotograf. Carmen je moc hezká a veselá. Je dobrá kamarádka. 3. Pan Richard Hanák je ředitel. Je moc bohatý. Myslím, že je milionář. Jeho manželka paní Marie Hanáková je moc krásná. Richard není můj kolega ani kamarád. Je můj šéf. 4. Alena Bartošová je moje kamarádka. Je Češka a je učitelka. Je veselá a optimistická. Není stará ani mladá. Její manžel se jmenuje Ivan Bartoš. Je taky můj kamarád. 5. Jmenuju se Filip Černý. Moje maminka se jmenuje Veronika a je manažerka. Můj tatínek se jmenuje Jan Černý a je profesor. Moje starší sestra se jmenuje Kristýna. Její manžel se jmenuje David a je učitel. Můj mladší bratr se jmenuje Robert. Jeho pes se jmenuje Ťapka.

Lekce 3

15/1 1. Je pět hodin. 2. Je jedenáct hodin. 3. Je patnáct hodin. 4. Je jedna hodina. 5. Jsou dvě hodiny. 6. Je sedm hodin. 7. Je devět hodin. 8. Je devět hodin dvacet pět minut. 9. Je šest hodin. 10. Je dvanáct hodin patnáct minut. **15/3** 1. v sobotu 2. v únoru 3. o víkendu 4. na jaře 5. v roce 1999 6. ve středu 7. ráno 8. v únoru 9. v srpnu 10. v březnu 11. večer 12. v noci 13. v zimě 14. v poledne 15. odpoledne 16. na podzim 17. v úterý 18. v neděli 19. v září 20. ve čtvrtek 21. dopoledne **16/4** Diář B

	Červenec - Srpen		31. týden
pondělí		pondělí	10.30 MÍTINK
úterý		úterý	11.15 konzultace
středa		středa	16.00 PREZENTACE
čtvrtek		čtvrtek	19.30 BALET Popelka
pátek		pátek	19.00 PARTY!
sobota		sobota	10.00 JÓGA 13.00 oběd v hotelu
neděle		neděle	13.45 VOLEJBAL

Kdy je tenis, oběd, detektivka, konference, lekce, opera, koncert a film?

16/5 1. dělá 2. spím 3. uklízíte 4. neodpočívá 5. vaří 6. obědváme **16/6** Kontrola viz učebnice strana 35. **16/7** 1G, 2F, 3C, 4H, 5A, 6D, 7E, 8B **17/9**, 10 Kontrola viz učebnice strany 36 a 37. **18/11** 1. my 2. ty 3. my 4. vy 5. on/ona/oni 6. oni 7. já 8. on/ona 9. já 10. on/ona 11. vy 12. já 13. já 14. my 15. ty 16. on/ona 17. my 18. ty 19. oni 20. my 21. já 22. ty 23. my 24. on/ona/oni **18/12** 1. Eva je dneska nemocná a spí. 2. Já vstávám v šest hodin, ale moje manželka vstává v sedm. 3. Maminka dneska nevaří, protože obědváme v restauraci. 4. Koncert je dneska večer v šest hodin. 5. Můj kamarád Robert nesnídá, ale moje kolegyně Hana snídá. **19/15** Petra ráda spí, čte, hraje karty, dívá se na televizi, píše dopisy, vaří, hraje scrabble a uklízí. Pavla ráda hraje tenis, hraje golf, plave, lyžuje a cestuje. **19/16** 1. studovat 2. hrát 3. plavat 4. jít 5. večeřet 6. plavat, lyžovat 7. psát 8. odpočívat 9. vařit 10. jít, pracovat **19/17** 1. V neděli nepracuju, protože v sobotu musím celý den pracovat. 2. V létě rádi plaveme a v zimě rádi lyžujeme. 3. V pátek odpoledne nakupuju každý týden jídlo a pití. 4. Moje sestra moc nelyžuje, ale dobře hraje volejbal a basketbal.

Lekce 4

21/1 tady – tam, uvnitř – venku, blízko – daleko, nahoře – dole, vpředu – vzadu, vlevo – vpravo **22/3** 1B, 2C, 3A **23/6** Kontrola viz učebnice strana 46. **23/8** 1. To není pravda. 2. To je pravda. 3. To není pravda. 4. To není pravda. 5. To je pravda. 6. To je pravda. 7. To je asi pravda. 8. ??? **23/9** Kontrola viz Textová příloha strana 239. **24/11** 1. Alice a Martin jsou dneska doma a uklízí. 2. Irena spí dneska večer v hotelu. 3. Adam není v hospodě, ale je v kanceláři. 4. Eva je teď ve škole, protože je učitelka. 5. Viktor je student, ale příští týden není ve škole. **24/12** 1E, 2C, 3H, 4A, 5G, 6D, 7B, 8F **24/13** 1b, 2a, 3b, c4, a5, a6 **25/15** 1. Kdy je příští lekce? 2. Kdo pracuje ve škole? 3. Kde obědváš v pondělí ve 12.30? 4. Kde jsi zítra? 5. Co je v 10 večer? 6. Kdy jdeš dneska spát? 7. Kde je film? **26/20** 1a, 2b, 3c, 4c, 5c, 6a, 7b, 8a, 9a, 10b, 11b, 12b, 13b, 14c, 15c

Lekce 5

27/1 dvakrát kávu, třikrát limonádu, čtyřikrát čokoládový dort, jednou omeletu, třikrát pivo, dvakrát vanilkovou zmrzlinu, dvakrát džus, dvakrát zeleninový salát, sedmkrát jogurt, desetkrát guláš, pětkrát pivo a pětkrát limonádu, jednou biftek a hranolky, šestkrát šunku a okurku **27/2** Číšník: Prosím? Co si dáte? Iva a Jakub: Dáme si dvakrát gulášovou polévku a čtyřikrát rohlík. Číšník: A ještě něco? Iva a Jakub: Ano. Dvakrát omeletu, ale třikrát zeleninový salát a pětkrát majonézu. Číšník: A dáte si brambory nebo hranolky? Iva a Jakub: Jednou hranolky a jednou brambory. Číšník: A co k pití? Iva a Jakub: Jednou pivo a jednou limonádu. Číšník: A dáte si nějaký dezert? Iva a Jakub: Ano! Dvakrát čokoládovou zmrzlinu a dvakrát černou kávu. Číšník: To je všechno? Iva a Jakub: Ano, to je všechno. **27/3** 1H, 2Č, 3Č, 4H, 5H, 6Č, 7H, 8Č, 9H, 10Č **27/4** 1. víno 2. minerálku 3. kávu 4. maso, brambory 5. kakao, mléko 6. dort 7. čokoládu 8. polévku 9. čaj 10. zmrzlina **28/8** 1. mám, máš, má, máme, máte, mají 2. chci, chceš, chce, chceme, chcete, chtějí 3. jím, jíš, jí, jíme, jíte, jí/jedí 4. piju, piješ, pije, pijeme, pijete, pijou **28/9** 1. Máme rádi tenis. 2. Mám rád guláš. 3. Aleš má rád fotbal. 4. Daniel má rád horkou čokoládu. 5. Jana a Josef mají rádi knihy. 6. Zuzana má ráda romantické filmy. **29/11** 1. rád 2. mám rád 3. ráda 4. rád/ráda 5. rád/ráda 6. rádi 7. máš rád/ráda 8. rádi 9. máte rádi 10. ráda 11. rád 12. rádi 13. rádi 14. rád/ráda 15. má ráda 16. rád 17. rádi 18. rád 19. má ráda 20. má ráda 21. rádi 22. ráda 23. má rád 24. ráda **29/12** 1. Snídám šunku a housku. 2. Majonéza není zdravá. 3. Maminka vaří dobrou kávu. 4. Babička vaří knedlíky. 5. Kamarád má zajímavou knihu. 6. Sestra má nového kamaráda. 7. Moje dcera čte novou detektivku. 8. Můj bratr nepije alkohol. 9. Díváme se na televizi. 10. Populární autor píše knihu. 11. Děti hrajou novou hru. 12. Naše babička nerada cestuje. 13. Dobrý student je na univerzitě. 14. Profesor má nového studenta. 15. Máš dobrého šéfa? 16. Dobrý šéf je v práci v 8 hodin ráno! **29/13** 1. Pijeme dobrou kávu. 2. Nepiju silnou kávu. 3. Má ráda veselého kamaráda. 4. Máš krásnou sestru. 5. Čtete dobrou knihu. 6. Mám velký oběd. 7. Má rád malého syna. 8. Píšeme dlouhý dopis. 9. Snídáš dobrou omeletu. 10. Organizuješ kvalitní program. **30/15** 1D, 2G, 3B, 4F, 5C, 6A, 7E **31/17** Soňa Veselá je mladá učitelka. Učí angličtinu a češtinu. Dneska má dobrou náladu. Je pátek a zítra je víkend. Soňa má hezký program! V sobotu dopoledne má kosmetiku a manikúru. V sobotu odpoledne má návštěvu. Její kamarádka Rachel z Ameriky je tady v Praze. V 7 hodin večer mají rezervované místo v restauraci Rio. Soňa má restauraci Rio moc ráda. Mají tam dobrou kávu a výborné mexické jídlo. V neděli odpoledne má Soňa rande. Její kamarád Marek je sympatický student. Studuje českou literaturu. Teď je trochu nervózní, protože v úterý píše test. Ale Marek má talent, a proto Soňa nemá strach. **31/19** Filip Novák má velkou angorskou kočku Micku. Ta kočka má ráda smetanu a kvalitní maso. Filip má taky sympatickou kamarádku Zuzanu. Zuzana je výborná kamarádka, ale nemá ráda kočku Micku. Nechce mít kočku ani doma, ani v práci. Filip má velký problém: kočku – nebo Zuzanu. A ta kočka má taky smůlu. Kdo dneska chce takovou tlustou a velkou kočku? Velká kočka moc jí, je drahá a Filip a Zuzana nemají peníze. A tak Zuzana nekupuje jídlo a pití a kočka Micka má dietu. Nemá smetanu, maso, ani šunku. Má jenom mléko a myš. A Zuzana je ráda, že kočka je krásná a štíhlá a ona má moderní nový svetr. **32/23** 1. protože 2. proto 3. proč 4. taky 5. ale 6. někdy, někdy 7. nikdy **32/24** Kontrola viz učebnice strana 61.

Lekce 6

33/1 mít – měl, chtít – chtěl, spát – spal, umřít – umřel, psát – psal, číst – četl, jíst – jedl, moct – mohl, jít – šel **33/3** 1. byl 2. měl 3. nebyla 4. chtěl 5. pili 6. jedla 7. umřel 8. šel 9. jela 10. nechtěl 11. nejedla, měla 12. nečetli 13. nemohl, měl 14. nechtěla **34/4** Filip Novák měl velkou angorskou kočku Micku. Ta kočka měla ráda smetanu a kvalitní maso. Filip měl taky sympatickou kamarádku Zuzanu. Zuzana byla výborná kamarádka, ale bohužel neměla ráda kočku Micku. Nechtěla mít kočku ani doma, ani v práci. Filip měl velký problém: kočku – nebo Zuzanu! A ta kočka měla taky smůlu. Tlustá a velká kočka byla drahá a Filip a Zuzana neměli peníze. A tak měla kočka Micka dietu. Neměla smetanu, maso ani šunku. Měla jenom mléko a myš. A Zuzana byla ráda, že kočka je krásná a štíhlá a ona může kupovat moderní svetry. **34/5** 1. Můj dědeček byl moc hodný člověk. Měl dobrou náladu a byl veselý. Byl vysoký a hubený. Moc nejedl, ale pil pivo. Odpoledne spal a večer četl. Měl rád komedie a detektivky. 2. Moje kamarádka Pavla bydlela v Praze, ale měla ráda hory. Když měla volno, vždycky jela na hory. Neměla auto, a proto jela autobusem. Pavla ráda lyžovala a hrála tenis. Byla taky dobrá tenistka. Měla ráda lidi a dobré jídlo. 3. To byla krásná fotografie! Byly tam hory. Nahoře byl starý hrad. Uprostřed byla velká řeka. Vpravo dole byla malá vesnice. Vlevo dole byl most. **34/6** 1c, 2c, 3a, 4a, 5b, 6b, 7a, 8b, 9a **35/7** 1. Včera jsem jedl knedlíky. 2. O víkendu jsem spala. 3. Včera jsem vařil guláš. 4. Minulý týden jsem četl detektivku. 5. Ráno jsem měla hlad a žízeň. 6. Včera v noci jsem se díval na televizi. 7. Ty jsi byl včera večer doma? 8. Vy jste viděli ten zajímavý film? 9. Před svatbou jsem se jmenovala Nováková. 10. V roce 1980 jsem se narodil v Praze. **35/8** 1. Včera jsme byli celý den doma. 2. Já a moje kamarádka jsme kupovali novou videokameru. 3. Včera večer jsem měla velký strach, protože jsem četla detektivku. 4. Nechtěli jsme jíst doma, chtěli jsme jíst v restauraci. 5. Předevčírem jsem měla tlustý svetr, protože byla velká zima. 6. Dneska dopoledne jsi spal? Telefonoval jsem, ale nikdo nereagoval. **36/11** Pralidi neluxovali, neposlouchali walkman, nedívali se na televizi, netelefonovali, nepracovali na počítači, nenosili džíny, nejedli hamburgery, nepoužívali elektrickou lampu. **38/15** 1. francouzsky, Francie 2. Ruska, Rusko 3. německy, Německo 4. Slovák, slovensky 5. Polka, polsky 6. německy 7. Angličan, Anglie 8. Španěl, španělsky 9. italsky, Itálie 10. vietnamsky, Vietnam

Lekce 7

39/2 RD – rodinný dům, kk – kuchyňský kout, m2 – metr čtvereční, 3+1 – byt, který má jednu kuchyň a tři pokoje, dr. byt – družstevní byt (= kooperativní byt), byt v OV – byt v osobním vlastnictví (= privátní byt), panelák – panelový dům, dvougenerační byt – byt pro dvě generace **40/4** 1. Můj pes musí být velký. 2. Moje kamarádka musí být veselá. 3. Moje sekretářka musí být inteligentní. 4. Naše učitelka musí být dobrá. 5. Náš dům musí být starý. 6. Můj kamarád musí být sympatický. 7. Můj asistent musí být energický. 8. Můj partner musí být bohatý. 9. Naše modelka musí být tlustá. **41/7** sympatický kamarád a sympatická kamarádka/sympatického kamaráda a sympatickou kamarádku, dobrý šéf a dobrá šéfka/dobrého šéfa a dobrou šéfku, výborný doktor a výborná doktorka/výborného doktora a výbornou doktorku, energický partner a energická partnerka/energického partnera a energickou partnerku, chytrý prezident a chytrá prezidentka/chytrého prezidenta a chytrou prezidentku, moderní manažer a moderní manažerka/moderního manažera a moderní manažerku, nový ředitel a nová ředitelka/nového ředitele a novou ředitelku, český učitel a česká učitelka/českého učitele a českou učitelku **41/8** 1. Miluju silnou horkou kávu a studenou limonádu. 2. Hledám nový dům a nového manžela. 3. Chci mít dobrého kamaráda nebo dobrou kamarádku. 4. Čekám na pana profesora a jeho sekretářku. 5. Prodávám staré auto a krásnou zahradu. 6. Nesnáším slabou káva a studenou polévku. 7. Kupuju čokoládovou a vanilkovou zmrzlinu. 8. Používám starou tužku a nový počítač. 9. Potřebuju novou tužku a velký papír. 10. Ředitel řídí.velkou firmu a velký mercedes. **41/9** 1. Jsem dobrý student. 2. Učitel má dobrého studenta. 3. Nejsem nový šéf. 4. Potřebuju nového šéfa. 5. To je můj malý bratr. 6. Miluju mého malého bratra. 7. To je dobrá studentka. 8. Učitel má rád dobrou studentku. 9. To je silná káva. 10. Dám si silnou kávu. 11. To je studená minerálka. 12. Nepiju studenou minerálku. **41/10** Slovesa, která můžou mít akuzativ: mít, vidět, chtít, tancovat, hledat, psát, říkat, studovat, číst, potřebovat, umět, dělat, uklízet, večeřet, jíst, řídit **42/12** 1. a proto 2. protože 3. když/protože 4. ale/protože 5. proč 6. a/nebo 7. kdy/proč 8. nebo/a 9. protože/ale 10. když/protože 11. a proto 12. kdy/proč 13. protože 14. a proto **43/14** 1. víš/víte 2. znáš/znáte 3. víš/víte 4. umíš/umíte 5. znáš/znáte 6. víš/víte 7. víš/víte 8. umíš/umíte 9. znáš/znáte 10. víš/víte 11. znáš/znáte 12. víš/víte 13. umíte/umíte 14. znáš/znáte 15. víš/víte 16. umíš/umíte **43/15** 1. Kdo je tady? 2. Jaký je váš pes? 3. Kde jsi zítra? 4. Kdy je konference? 5. Co je zítra ráno? 6. Čí je ten stůl? 7. Jak se máš ? 8. Jaká je ta káva? 9. Kde jsi byla? 10. Kdy jsi byl v práci? 11. Čí je ta židle? 12. Jaký je ten čaj? **43/16** kdo – někdo – nikdo, kdy – někdy – nikdy, kde – někde – nikde, jak – nějak – nijak, čí – něčí – ničí **44/18** 1. Ne, nehledám. 2. Ne, nepotřebuju. 3. Ne, nevidím 4. Ne, nemám. 5. Ne, neznám. 6. Ne, nehledám. 7. Ne, nepotřebuju. 8. Ne, nevidím. 9. Ne, nevidím.10. Ne, neznám. **44/19** 1. někdo 2. něco 3. nějaký 4. někde 5. něco 6. něčí 7. někde 8. někdy **44/20** 1. nikdy 2. nikdo 3. nic. 4. nikdo 5. nikdy 6. nic 7. ničí 8. nic **44/21** 1. Kdo čte? – Nikdo nečte. 2. Nikdo nebyl doma. 3. Nikdy nepiju alkohol. 4. Nikde nemají knihu, kterou potřebuju. 5. Nevidím nic. 6. Nepotřeboval jsem nic. 7. Nikdy nekupuju nekvalitní jídlo. 8. Nikde jsem neviděl tvého bratra. Kde je? 9. Nemám rád televizi. Nikdy nechci mít televizi.10. Nikde tady blízko není pošta. **44/22** 1. pro 2. na 3. za 4. za, za 5. pro 6. za 7. na 8. za 9. na 10. za 11. pro 12. za **44/23** Jana je mladá maminka. V sobotu ráno nakupuje v supermarketu. Její malá dcera Lucinka má narozeniny. Jana potřebuje pro Lucinku nějaký hezký dárek. Lucinka chce v neděli odpoledne dělat party pro kamarády. Proto Jana kupuje rohlíky, šunku a sýr na jídlo, kolu a limonády na pití a hezký papír na dárky. Pak hledá nějaký dárek. Vidí krásnou panenku Barbie za 1 000 korun. Panenka je moc krásná, ale Jana myslí, že je pro malé dítě moc drahá. A tak Jana kupuje levnou panenku za 400 korun a malý dům pro panenku za 300 korun. Lucinka má hezké dárky.

Lekce 8
45/2 1. budeme mít 2. budu hrát 3. budeme studovat 4. budete 5. budeš jíst 6. budeš chtít 7. budete kupovat 8. budeme lyžovat 9. bude cestovat 10. bude pracovat 11. budu mluvit 12. budeme vařit 13. budeš spát 14. budou muset **45/3** 1. on/ona 2. ty 3. on/ona 4. oni 5. vy 6. oni 7. ty 8. vy 9. on/ona 10. my **46/4** 1. pracoval jsem – budu pracovat 2. telefonoval/telefonovala – bude telefonovat 3. milovali jsme – budeme milovat 4. četli – budou číst 5. měli – budou mít 6. byl/byla jsi – budeš 7. uklízel/uklízela jsem – budu uklízet 8. vařili jsme – budeme vařit 9. viděli jste – budete vidět **46/8** Vyhrál jsem v loterii 100 milionů korun. Můj život bude úplně jiný. Budu mít velkou vilu v Praze 6. Bude tam deset pokojů, velká zahrada a bazén. Nebudu vařit a uklízet – budu mít šéfkuchaře, který bude vařit nejlepší a nejdražší speciality. Samozřejmě, že budu mít taky řidiče, uklízečku a výborného doktora. Budu nakupovat jenom v luxusních obchodech. Jinak nebudu nic dělat a nebudu pracovat, jenom dvakrát za týden budu hrát sqash a budu plavat v bazénu. Často budu cestovat na Havaj, na Bahamy, do Ameriky a do Austrálie. Nebudu egoista a budu dávat peníze na charitu. Budu mít překladatele, který pro mě všechno bude překládat do češtiny. Ale pořád budu studovat češtinu, protože je to zajímavý jazyk. **47/9** 1. budu pracovat 2. budeš dělat 3. budete vstávat 4. budu 5. bude obědvat 6. budu spát 7. budete telefonovat 8. budeme uklízet 9. nebudu mít 10. bude 11. bude začínat 12. budete znát 13. budeš vidět 14. budeš 15. budete odpočívat 16. budete mít 17. budeme odpočívat 18. budou 19. budou dělat 20. budeš cestovat 21. budu vařit 22. budou plavat 23. budeme 24. budu lyžovat 25. budeš tancovat 26. budu vědět **47/10** 1. autem 2. autobusem, tramvají 3. áčkem, béčkem 4. na kole, metrem 5. taxíkem 6. vlakem, letadlem 7. pěšky **47/11** Kontrola viz učebnice strana 88. **48/13** 1. na, do 2. na 3. do 4. do, na 5. do, na 6. na 7. na 8. do 9. k, na 10. na, do 11. do 12. k 13. na 14. do 15. na 16. na 17. do, na 18. na 19. do 20. ke **48/15** 1. za 2. pro 3. na 4. za 5. za 6. na 7. pro 8. za 9. pro 10. na 11. za 12. pro 13. na 14. na 15. na 16. pro 17. na 18. za 19. na 20. za 21. na 22. na

Lekce 9
51/2 Kontrola viz učebnice strana 95. **52/3** Kontrola viz učebnice strana 96. **52/4** vína pl., voda sg., káva sg,. židle sg./pl., auta pl., jídla pl., vesnice sg./pl., počítač sg., pomeranče pl., nádraží sg./pl. květiny pl.,galerie sg./pl., kanceláře pl., knihy pl., instituce sg./pl., stoly pl., rádia pl.,čaje pl., bakterie sg./pl., náměstí sg./pl.,okna pl., pití sg./pl., bary pl., města pl., učebnice sg./pl., doktorka sg., nemocnice sg./pl., domy pl., videa pl., hospoda sg., kina pl. **52/5** 1. kávy 2. vitamíny 3. jogurty 4. pomeranče 5. rádia 6. papriky **52/6** 1. piva 2. jablka 3. mléka 4. zmrzliny 5. tramvaje 6. salámy 7. brokolice 8. minerálky/vody 9. čaje 10. citrony 11. auta 12. sýry 13. stoly 14. židle 15. banány **52/7** 1. mapy, pasy, léky, detektivky 2. domy, kostely, kina, divadla, mosty, ulice, obchody, tramvaje, auta, autobusy, hotely, restaurace, kavárny 3. stoly, lampy, gauče, obrazy, křesla, koberce, počítače, židle 4. detektivky, horory, časopisy, dopisy, e-maily 5. rohlíky, banány, sýry, vajíčka, jablka, mléka, jogurty, zmrzliny **53/8** Kontrola viz učebnice strana 97. **53/9** 1. dvě knihy 2. dvě učebnice 3. dvě auta 4. dva psi 5. dva psy 6. dva knedlíky 7.dvě knihovny 8. dvě kávy 9.dvě okna 10. dvě čokolády 11. dvě kanceláře 12. dva banány **54/10** 1. Ne, mám dva bratry. 2. Ne, mám dvě učitelky. 3. Ne, chci dva psy. 4. Ne, potřebuju dva stoly. 5. Ne, dám si dva guláše. 6. Ne, chci dva čaje. 7. Ne, mám dvě sestry. 8. Ne, hledám dvě kamarádky. 9. Ne, dám si dvě piva. 10. Ne, potřebuju dvě auta. **55/12** Kontrola viz učebnice strana 99. **55/13** 1. Bolí mě ucho. 2. Bolí tě zub. 3. Bolí ho nos. 4. Bolí nás nohy. 5. Bolí ji hlava. 6. Bolí je ruce. 7. Bolí vás oči. **56/14** 1E, 2F, 3B, 4G, 5D, 6A, 7C **56/15** 1. Co je ti/vám? 2. Bolí tě/vás hlava? 3. Máš/máte na něco alergii? 4. Bolí tě/vás něco?

Lekce 10
57/2 1. na výlet, do Varšavy 2. do kina 3. do školy, na výlet 4. na dovolenou, do Itálie 5. do Ameriky 6. do Německa, na služební cestu 7. na hory, na Slovensko 8. na procházku 9. na policii, na poštu 10. na ambasádu 11. na nádraží, do kina 12. do restaurace, na oběd 13. do divadla 14. do kina, na náměstí 15. na koncert, na diskotéku 16. na toaletu 17. do Moskvy 18. na Moravu, do Francie 19. na návštěvu, na Slovensko 20. na letiště, do Polska **57/3** 1. Odkud jdeš? 2. Kde je profesorka? 3. Kam jdeš? 4. Kam jste šli? 5. Odkud jde David? 6. Kde budeš zítra? 7. Kam jedete o víkendu? 8. Odkud jste šli? 9. Kde jste byli? 10. Odkud jste šla? **59/6** 1. blízko parku, řeky, zastávky, hospody, metra, restaurace, moře 2. blízko supermarketu, hotelu, kina, diskotéky, letiště, restaurace, parkoviště 3. vedle obchodu, hostelu, parku, školy, banky, pošty, cukrárny, restaurace 4. bez sportu, mobilu, kávy, kokakoly, čokolády, televize, auta, piva, vína 5. kolem parku, supermarketu, řeky, hospody, kina, metra, restaurace, letiště, nádraží, moře 6. kolem stromu, bazénu, hotelu, supermarketu, řeky, hospody, restaurace, divadla, kina **59/7** 1. Eva bydlí u pumpy. 2. John bydlí blízko supermarketu. 3. Laura bydlí u pošty. 4. David a Jarmila bydlí vedle bazénu/řeky/rybníka/moře 5. Mai bydlí blízko drogerie. 6. Abdul bydlí u divadla. 7. Dana bydlí u nemocnice/polikliniky. 8. Jan bydlí uprostřed parku. 9. Evžen bydlí blízko školy/univerzity. 10. Kateřina a Ivan bydlí vedle restaurace/hospody/bufetu. **59/8** 1. u/vedle/blízko 2. u 3. u/vedle/blízko 4. vedle 5. u 6. u 7. u/vedle/blízko 8. u 9. u 10. u/vedle/blízko **60/9** Genitiv sg: 1. do divadla, do kina, do školy 2. do kina, vedle kina 3. do kina, vedle kina 4. bez mléka 5. bez kamarádky, vedle kamarádky 6. kolem divadla 7. bez kamarádky **60/10** 1D, 2E, 3A, 4C, 5F, 6B **60/11** 1. nikotinu 2. parlamentu 3. babičku 4. obchodu 5. banky 6. hospody, pivo 7. kavárny, kávu 8. práce 9. sestry 10. detektivku 11. manželku 12. města 13. výlet, Brna 14. kofeinu 15. kamarádky 16. kasina 17. dceru 18. maminku 19. banky, nemocnice 20. cukru a mléka **60/12** 1C, 2F, 3E, 4A, 5D, 6B, 7G **61/13** z, z, u/blízko, u/v/blízko/vedle, na, na, do, do, v, na, do, na, do, na, z, v, do, v, do, v, v, do, na, z, u, pro **61/17** 1F, 2D, 3B, 4E, 5C, 6A

Lekce 11
63/1 z, od, bez, vedle, do, blízko, uprostřed, u, kolem **63/2** 1D, 2A, 3F, 4C, 5B, 6E **63/3** Kontrola viz učebnice strana 116. **64/4** 1. na, do 2. na 3. v 4. v, za 5. z, za, pro, na 6. vedle/blízko/u/v 7. do 8. k 9. od, v/u/blízko/vedle 10. na, do, pro 11. v, vedle 12. bez 13. u, u 14. na, do, na 15. od, za 16. pro, pro 17. na, u, od, do, v 18. bez 19. v, u/blízko/vedle 20. na, k **64/5** 1. kávu, kolu 2. sekretářku, asistentku 3. školy, knihovny

4. schůzku, kina 5. velký dům, malý dům 6. lékárny, nákup 7. banky, školy 8. syna, dceru 9. kavárny, cukrárny 10. divadla, koncert 11. polévku, čaj 12. pana Nováka, pana Horáka **65/6** 1F, 2A, 3D, 4E, 5C, 6B **65/8** 1. vody 2. mouky 3. polévky 4. vína 5. šlehačky 6. mléka 7. času 8. cukru 9. salámu 10. šunky 11. džusu 12. kečupu 13. mléka 14. másla 15. chleba 16. sýra **65/9** 1. cukru 2. kávy 3. kakaa 4. čokolády 5. léku 6. vína 7. mléka 8. medu **67/12** 1. studenta nebo profesora 2. učitelky nebo studentky 3. bratra nebo sestry 4. babičky nebo tety 5. prezidenta nebo premiéra 6. šéfa nebo asistenta 7. dcery nebo syna 8. holky nebo kluka 9. asistenta nebo asistentky 10. studenta, učitelky **67/14** Na bankovce 500 korun je portrét spisovatelky Boženy Němcové. Na bankovce 5 000 korun je portrét prezidenta T. G. Masaryka. Na bankovce 100 korun je fiktivní portrét krále Karla IV. (čtvrtého). Na bankovce 2 000 korun je portrét zpěvačky Emy Destinnové. Na bankovce 200 korun je portrét učitele Jana Ámose Komenského. Na bankovce 50 korun je fiktivní portrét svaté Anežky České. Na bankovce 1 000 korun je portrét skladatele Bedřicha Smetany. **67/15** socha Abrahama Lincolna, opera Benjamina Brittena, plán Franklina Roosevelta, obraz Pabla Picassa, socha Michelangela, socha Svobody v New Yorku, katedrála svatého Víta, tragédie Williama Shakespeara, politika Winstona Churchilla, kostel svaté Barbory, koncert Petera Gabriela, písnička Madonny, drama Henrika Ibsena, román Michaila Bulgakova, opera Antonína Dvořáka, román Victora Huga, aktivita Martina Luthera Kinga, symfonie Ludwiga van Beethovena, poezie Emily Dickinsonové, kniha Virginie Wolfové, verše Anny Achmatovové, politika Margaret Thatcherové **68/16** Chelsea Clintonová je dcera Billa Clintona, princ Charles je syn královny Alžběty, Jennifer Annistonová je manželka Brada Pitta, „Posh Spice"je manželka Davida Beckhama, Jill Hallová je exmanželka Mika Jaggera, Cherrie Blairová je manželka Tonyho Blaira, Yoko Ono byla manželka Johna Lennona, Danny Moder je manžel Julie Robertsové, Tom Lee je exmanžel Pamely Andersonové, Catherine Zeta Jonesová je manželka Michaela Douglase, princ Henry je vnuk královny Alžběty **68/17** 1. Tchán je otec/tatínek manželky. 2. Zeť je manžel dcery. 3. Snacha je manželka syna. 4. Švagrová je manželka sestry. 5. Švagr je manžel sestry. 6. Teta je sestra tatínka nebo maminky. 7. Strýček je bratr tatínka nebo maminky. 8. Bratranec je syn tety nebo strýčka. 9. Sestřenice je dcera tety nebo strýčka. 19. Babička je maminka tatínka nebo maminky. 11. Dědeček je tatínek tatínka nebo maminky. **68/18** 1. slavného prezidenta 2. od maminky/maminky 3. populárního zpěváka 4. anglického jazyka 5. od Johna Lennona/Johna Lennona 6. od Christiana Diora/Christiana Diora 7./známého autora/od známého autora 8. od manželky 9. od Pabla Piccassa/Pabla Piccassa 10. Stephena Spilberga/od Stephena Spilberga **68/19** 1. Charlese Chaplina 2. Pabla Picassa, 3. Michelangela 4. Michelangela 5. Leonarda da Vinciho 6. Ludwiga van Beethovena 7. Johna Lennona a Paula Mc Cartnyho 8. Alfreda Hitchcocka

Lekce 12

69/1 1. uvařila 2. četl 3. psala 4. uklízela 5. koupil 6. opravoval 7. uklidila 8. vařila 9. uvařila 10. napsala 11. přečetl 12. kupoval 13. umyl 14. vařila 15. opravil 16. myl **70/2** vařit/uvařit, číst/přečíst*, dělat/udělat, uklízet/uklidit, jíst/sníst*, pít/vypít*, psát/napsat*, opravovat/opravit, mýt/umýt*, kupovat/koupit, telefonovat/zatelefonovat, platit/zaplatit – 1. snědl 2. vypil 3. uvařil 4. udělal 5. klidil 6. přečetl 7. umyl 8. napsal 9. koupil 10. opravil **70/4** 1.Učitel opravil test. – Byl rád, že celém testu byla jenom jedna chyba. 2. Přečetl jsem detektivku. – Už vím, kdo byl vrah! 3. Petr prodával auto. – Ještě nevím, jestli jeho auto někdo koupil. 4. Sekretářka napsala dopis. – Pak šla na poštu a dopis poslala. 5. Manžel umyl nádobí. – Všechno nádobí bylo čisté. 6. Kupoval jsem svetr v supermarketu.– Svetr jsem chtěl, ale nemám ho. 7. Maminka vařila oběd. – Nevím, jestli už je oběd hotový. 8. Kamarádka pila minerálku. – Ještě má minerálku a nemusí kupovat novou. 9. Bratr uklidil byt. – Už je hotový a může odpočívat. 10. Babička prala prádlo. – Ještě není hotová a nemůže odpočívat. **71/7**. 1. nebo 2. a pak/a taky/nebo 3. ale 4. a pak 5. protože **72/11** 1D, 2E, 3A, 4F, 5C, 6B **73/12** 1. dám 2. napíšu 3. prodám 4. uklidím 5. uvařím 6. přečteme 7. sníme 8. umyjeme 9. zaplatím 10. vymalujete 11. koupím **73/13** 1. budu jíst v hotelu 2. sním všechno jídlo 3. půjdu do restaurace 4. budu vařit kávu 5. uvařím oběd 6. koupím máslo 7. pojedu na výlet 8. půjdu na diskotéku 9. dám si guláš 10. budu uklízet garáž 11.uklidím byt 12. pojedu do školy 13 zaplatím účet 14. poletím do Ameriky 15. budu doma 16. udělám čaj 17. budu telefonovat do práce 18. napíšu test 19. budu číst detektivku 20. zatelefonuju domů 21. půjdu na procházku 22. budu studovat češtinu 23. budu ve škole 24. přečtu knihu 25. budu kupovat dům **74/14** 1. budu vařit/uvařím 2. budu psát/napíšu 3. budu se učit/naučím se 4. budu malovat/vymaluju 5. budu kupovat/koupím 6. budu mýt/umyju 7. ztratil jsem 8. budeš psát/napíšeš 9. budu kupovat/koupím 10. včera jsem dostal **74/15** 1. dám si 2. uklidím 3. sním 4. ztratí 5. uvaří 6. přečtu 7. uvidím 8. napíšu **74/17** studovat/vystudovat, říkat/říct*, končit/skončit, kupovat/koupit, psát*/napsat*, kopírovat/okopírovat, posílat/poslat*, uklízet/uklidit, zapomínat/zapomenout*, platit/zaplatit, počítat/spočítat, kontrolovat/zkontrolovat

Lekce 13

75/2 Kontrola viz učebnice strana 137. **76/3** Kontrola viz učebnice strana 137. **76/4** A3, B5, C4, D1, E2 **76/5** 1. objeli 2. prošli 3. vyšli 4. vyjel 5. obletět 6. prošli 7. přejít 8. objel **77/6** 1. vyjel 2. přejel 3. vyjel 4. sjel 5. projel 6. objel 7. dojel 8. sjeli 9. rozjeli 10. vyjel 11. – 12. zajel/vjel 13. – 14. zajel/vjel 15. – **78/7** V sobotu ráno jsem vyšel z domu v 8 hodin. Měl jsem hlad. Šel jsem na snídani. Přešel jsem ulici a vešel jsem do kavárny. Když přišel číšník, objednal jsem si kávu a rohlíky. Pročetl jsem noviny a vypil jsem kávu. Když jsem dočetl, dopil, a dojedl, odešel jsem na schůzku s kamarádkou. Domluvili jsme se, že půjdeme na výlet. Sešli jsme se na náměstí v 10 hodin. Nejdřív jsme prošli celé město. Když jsme vyšli z města, prošli jsme les. Uviděli jsme vysoký kopec. Vyšli jsme na kopec. Když jsme sešli dolů, přešli jsme most. Blízko mostu byl rybník.Obešli jsme ho. Když jsme obešli rybník, uviděli jsme malou hospodu. Když jsme dojedli oběd, odešli jsme z hospody. Blízko hospody byla stanice. Když jsme tam došli, přijel autobus. Nastoupili jsme do autobusu. Autobus projel několik vesnic. Pak podjel most a dojel na náměstí. Vystoupili jsme z autobusu a rozešli jsme se. Přišel jsem domů v 7 hodin večer. Byl to hezký den! **78/8** Kontrola viz učebnice strana 139. **79/11** 1C, 2A, 3B

Lekce 14

81/1 na 2. v 3. v 4. na 5. u 6. na 7. v 8. na 9. v 10. u 11. na 12. v, 13. v 14. u 15. u 16. na **81/2** Kontrola viz učebnice strana 87. **81/3** v hotelu, v moři, v divadle, v obchodě, v supermarketu, v katalogu, v/na oceánu, v hrnku, na koncertě, na poště, v kavárně, v drogerii, v parku, na zahradě, ve škole, v práci, v kanceláři, v kině, na stadionu, v galerii **84/11** na, na 2. na, na 3. v, ve, na 4. do, na 5. u 6. na 7. do 8. do/z 9. u/vedle/blízko 10. na/z 11. v 12. u 13. u 14. u, na 15. na, u 16. na/u/blízko/vedle 17. u 18. na 19. od 20. do/z **86/15** bavili jsme se – budeme se bavit, mluvil jsi – budeš mluvit, četl/četla – bude číst, hádali se – budou se hádat, přemýšlel/přemýšlela – bude přemýšlet, mluvil/mluvila jsem – budu mluvit, slyšel/slyšela jsem – budu slyšet, bavili jste se – budete se bavit, mluvili jsme – budeme mluvit, četl/četla jsem – budu číst, přemýšlel/přemýšlela jsem – budu přemýšlet

Lekce 15

87/1 1. hledali by 2. viděli byste 3. používali bychom/bysme 4. měla by 5. chtěl bys 6. vstával bych 7. lyžoval/lyžovala bys 8. hráli byste 9. uměli bychom/bysme 10. věděl/věděla bys 11. jeli byste 12. šel by 13. dělali by 14. pracoval/pracovala bych 15. potřeboval by **87/2** 1. Koupil bych velký byt, ale nemám peníze. 2. Potřebovali bychom nějaké lepší auto. 3. Měla bys čas zítra večer? 4. Bydleli byste v centru? 5. Koupili bychom velký dům, ale je to drahé. 6. Pracoval bych, ale jsem líný. 7. Studoval bych, ale nemám čas. **87/3** měli bychom/bysme, pil/pila bys, malovala by, bydleli by, umřel by, pracovali by, tancovala bych, psala by, mluvila by, jeli by, pili by, opravovala by, prodávali bychom/bysme, dostali byste, jedli bychom/bysme, šla by, prali bychom/bysme, ztratil/ztratila bys **90/13** 1E, 2H, 3B, 4G, 5A, 6C, 7D, 8F **91/14** Kontrola viz Textová příloha strana 239.

Lekce 16

93/1 1. krásnější 2. modernější 3. slavnější 4. populárnější 5. sladší 6. hezčí 7. starší 8. lehčí 9. mladší 10. ekologičtější 11. bohatší 12. nebezpečnější **93/2** Kontrola viz učebnice strana 165. **93/3** Kontrola viz učebnice strana 166. **94/5** 1. lepší 2. horší 3. studenější 4. větší 5. lehčí

6. menší 7. těžší 8. bohatší 9. teplejší 10. silnější 11. veselejší 12. chudší 13. menší 14. pracovitější 15. slabší 16. smutnější **95/6** dobrý–lepší–nejlepší, špatný–horší–nejhorší, malý–menší–nejmenší, velký–větší–největší, dlouhý–delší–nejdelší, vysoký–vyšší–nejvyšší, sladký–sladší–nejsladší, hezký–hezčí–nejhezčí, mladý–mladší–nejmladší, krátký–kratší–nejkratší, bohatý–bohatší–nejbohatší, slavný–slavnější–nejslavnější, populární–populárnější–nejpopulárnější, lehký–lehčí–nejlehčí, těžký–těžší–nejtěžší, moderní–modernější–nejmodernější **95/7** 1. Čokoláda je lepší než dort. 2. V zimě bylo horší počasí než v létě. 3. Honza je vyšší než Aleš. 4. Váš pes je menší než náš pes. 5. Cesta do Ostravy je delší než cesta do Brna. 6. Veronika má kratší vlasy než Daniela. 7. Lucie je krásnější než Jana. 8. Jarda je chytřejší než Josef. **97/10** 1. dobře 2. tiše/potichu 3. vesele 4. špatně 5. málo 6. dlouho 7. daleko 8. blízko 9. pomalu 10. rychle 11. často 12. spokojeně 13. hlasitě/nahlas 14. levně **97/11** 1. špatně 2. tiše/potichu 3. krátce 4. pomalu 5. vesele 6. draze/draho 7. moderně 8. ošklivo/škaredě 9. teplo 10. mokro **97/12** levně–draze, dobře–špatně, rychle–pomalu, vesele–smutně, moderně–staromódně, lehce–těžce, hodně–málo, krátce–dlouho, tiše–hlasitě, daleko–blízko **98/15** 1. v létě 2. v zimě 3. na podzim 4. na jaře

Lekce 17
99/1 Alena telefonuje Robertovi a Robert Aleně. Vladimír telefonuje Davidovi a David Vladimírovi. Boris telefonuje Zuzaně a Zuzana telefonuje Borisovi. Tomáš telefonuje Jarmile a Jarmila Tomášovi. **99/2** dávat/dát, pomáhat/pomoct, posílat/poslat, psát/napsat, smát se/zasmát se, říkat/říct, radit/poradit, volat/zavolat, vracet/vrátit, půjčovat/půjčit, vysvětlovat/vysvětlit **100/5** Kontrola viz učebnice strana 174. **101/7** 1. mamince 2. Alici 3. manželce Jitce 4. kamarádovi 5. sestřenici 6. Lucii 7. sekretářce **101/8** 1. Režisér vysvětluje roli/role herečce. 2. Sekretářka píše vzkaz ředitelce. 3. Kamarád píše dopis kamarádce. 4. Paní posílá telegram sousedovi. 5. Doktor dává lék pacientovi. 6. Student půjčuje učebnici/učebnice studentce. 7. Sekretářka říká vzkaz manažerovi. 8. Profesor radí něco studentovi. **101/9** Pomáhám studentovi, studentce, dědečkovi, babičce, pacientovi, pacientce, kamarádovi, kamarádce. Radím šéfovi, šéfce, kolegovi. kolegyni, klientovi, klientce, asistentovi, asistentce, sekretářce. Telefonuju/mailuju mamince, tatínkovi, manželovi, manželce, kamarádovi, kamarádce, sestře, bratrovi. Nerozuměl/nerozuměla jsem biologii, matematice, fyzice, chemii, angličtině, francouzštině, němčině, latině. Rozumím biologii, matematice, fyzice, chemii, angličtině, francouzštině, němčině, latině. **101/10** 1B, 2E, 3F, 4I, 5A, 6C, 7H, 8G, 9D **102/11** Dopis od Petra: Ahoj, miláčku! Jak se máš? Co pořád děláš? A co dělají naši pes a kočka? Je to tady docela fajn. Pořád na tebe myslím. Už se těším, až budu doma a až budeme zase spolu. Posílám ti velkou pusu! Tvůj Petr. Dopis od neznámého pána: Vážená slečno Hanušová! Na vašich internetových stránkách jsem četl, že učíte češtinu pro cizince. Hledám učitelku češtiny pro moji přítelkyni. Je Italka a už trochu mluví česky. Potřebuje ale vysvětlit nějakou gramatiku a hodně mluvit. Chtěl bych taky vědět, jakou učebnici a materiály používáte.Napište mi prosím, kolik stojí jedna lekce a kdy máte čas. Se srdečným pozdravem Jan Hýsek.

Lekce 18
105/1 A5, B1, C3, D7, E9 **107/4** 1. Marianovi je 27 let./Je mu 27 let. 2. Lucii je 25 let./Je jí 25 let. 3. Jirkovi je 51 let./Je mu 51 let. 4. Katce je 15 let./Je jí 15 let. 5. Magdě je 17 let./Je jí 17 let. **107/5** 1D, 2C, 3A, 4F, 5B, 6G, 7E **108/6** Brambory Zuzaně nechutnají, ale Filipovi chutnají. Telenovely se Zuzaně líbí, ale Filipovi se nelíbí. Černý svetr Zuzaně sluší, ale Filipovi nesluší. Jazyky Zuzaně jdou, ale Filipovi nejdou. Kouření Zuzaně vadí a Filipovi taky vadí. Zelenina Zuzaně chutná, ale Filipovi nechutná. Krátké vlasy se Zuzaně nelíbí, ale Filipovi se líbí. Matematika Zuzaně jde a Filipovi taky jde. Špatné počasí Filipovi nevadí, ale Zuzaně vadí. **108/7** 1. kamarádce 2. kamarádovi 3. kolegovi 4. synovi 5. babičce a dědečkovi 6. kritikovi 7. klukovi 8. pacientovi **108/8** 1. Ten termín se mi nehodí. 2. Ta barva ti sluší. 3. To město se mi líbí. 4. Ten salát nám nechutná. 5. Je ti zima? 6. Je mu špatně? 7. Ta moje polévka mu nechutná. 8. Ta barva jí nesluší. 9. Ten dům se mi nelíbí. 10. Ten salát vám nechutná? 11. Je mi dobře. 12. Je ti zima? **109/9** 1. vám, kamarádovi 2. mi/mně, mi/mně 3. ti 4. mamince 5. tatínkovi 6. vám 7. jí, dědečkovi 8. mi/mně 9. ti, mi/mně 10. vám, mi/mně 11. ti, ti, mi/mně 12. Lukášovi, Evě, mu **109/11** 1. k 2. kvůli 3. díky 4. proti 5. kvůli 6. k 7. proti 8. k **110/12** 1. do 2 k, u 3. do 4. od, do 5. na 6. do, na 7. na, v 8. na 9. bez 10. díky 11. o, do 12. k 13. u 14. o, k 15. od, za 16. kvůli 17. k 18. do, pro 19. do, na 20. proti 21. o 22. za 23. blízko 24. na 25. proti 26. od 27. na

Lekce 19
111/1 1. nástroj 2. nábytek 3. elektronika 4. hudební nástroj 5. dopravní prostředek 6. oblečení 7. sportovní potřeba 8. příbor **111/2** 1. raketou a míčem 2. svetr 3. mýdlem 4. tužkou a perem 5. lžička 6. vidličkou a nožem 7. šampon 8. lžičkou 9. šamponem 10. na počítači 11. walkman 12. na kytaru 13. papriku 14. nožem 15. autem a letadlem 16. počítač **112/4** Kontrola viz učebnice strana 199. **113/6** Kontrola viz textová příloha strana 239 – 240. **114/8** 1C, 2D, 3A, 4H, 5F, 6G, 7C, 8I, 9B **114/9** Příběh se šťastným koncem: Jmenuju se David Jandák a do Prahy jsem přišel studovat v roce 1990. Když jsem studoval, chodil jsem s jednou holkou, jmenovala se Irena, ale rozešli jsme se. No, pravda je že ona se rozešla se mnou. Byl jsem moc smutný. Pak jsem se v roce 1993 na dovolené v Itálii seznámil s Danielou. Když jsem přijel z dovolené, potkal jsem ji v knihovně a pozval jsem ji na kafe. Bylo nám spolu fajn a začali jsme spolu chodit. Chodili jsme spolu tři roky a v roce 1996 jsme měli svatbu na zámku Konopiště. Když jsem se ženil, bylo mi 26 let. Teď se těšíme, že za pár měsíců budeme tři. Tady v Praze se rozvádí skoro každé druhé manželství, ale doufám, že my se nerozvedeme. **115/11** scházet se/sejít se, brát se/vzít se, rozcházet se/rozejít se, hádat se/pohádat se, rozvádět se/rozvést se, seznamovat se/seznámit se, potkávat/potkat **115/12** scházet se/sejít se – schůze, schůzka, rozcházet se/rozejít se – rozchod, hádat se/pohádat se – hádka, rozvádět se/rozvést se – rozvod, seznamovat se/seznámit se – seznámení **115/13** Kontrola viz učebnice strana 201. **116/15** 1. s Barborou 2. s Jaroslavem 3. lžičkou 4. s mlékem 5. autobusem 6. s Ondřejem 7. nožem 8. s cukrem 9. tužkou 10. tramvají 11. šamponem 12. raketou 13. s Veronikou 14. s holkou 15. s ředitelem 16. taxíkem, metrem 17. tužkou 18. se šlehačkou 19. letadlem 20. s kamarádem, s kamarádkou

Lekce 20
117/1 mezi, nad, pod, před, s, za **118/4** 1. Květina je nad stolem. 2. Pero je mezi vázou a lžičkou. 3. Kniha je pod skříní. 4. Auto je za domem. 5. Kabelka je pod židlí. 6. Fotografie je nad obrazem. 7. Police je nad knihovnou. **118/5** 1. Dám obraz nad gauč. 2. Dám kolo za dům. 3. Dám krabici pod gauč. 4. Dám kufr mezi skříň a postel. 5. Dám klíč pod rohožku. 6. Dám peníze pod postel. 7. Dám krabici mezi židli a počítač. 8. Dám dárky za postel. **119/7** 1. Jdi domů! 2. Dávej pozor! 3. Buď silný! 4. Uč se! 5. Sněz ten guláš! 6. Buď hodný! 7. Přijď zítra večer! 8. Zaplať! 9. Plav! 10. Uvař oběd! 11. **120/10** 1D, 2G, 3C, 4A, 5H, 6E, 7B, 8F **120/11** Sebeobrana nebo vražda? Byl klidný letní večer. Inspektor Holmík a komisař Mulík šli z práce. Chtěli jít do hospody na pivo, ale najednou uslyšeli, jak z blízkého domu někdo volá: „Pomoc! Pomoc! Tady někdo střílí!" Vešli do domu a našli tam starší ženu, která volala o pomoc. Komisař a inspektor ji uklidňovali:„Nebojte se! My jsme policisti! Řekněte nám, kde někdo střílel?" Žena ukazovala nahoru. „Jděte do třetího patra! Slyšela jsem, jak tam někdo střílí." Komisař a inspektor běželi nahoru do třetího patra. Uviděli zavřené dveře bytu. Na dveřích bylo jméno LEO MALÝ. Komisař Mulík zazvonil. „Tady policie! Otevřete!" Otevřel jim nějaký muž v černém tričku. Byl bledý a nervózní. Policisti rychle vešli do bytu. V pokoji ležel člověk. Všude byla krev. Komisař řekl inspektorovi: „Zavolej doktora!" Ale muž v černém tričku řekl: „Je mrtvý. Zastřelil jsem ho." Komisař řekl: „Jak se jmenujete? Řekněte nám všechno, co víte!" Nervózní muž jim řekl: „Jmenuju se Leo Malý. Alex Maršálek byl můj obchodní partner. Pohádali jsme se o peníze. Měl revolver. Podívejte se! Prostřelil mi čepici! Musel jsem taky střílet. Byla to sebeobrana!"Komisař Mulík reagoval rychle. „Pane Malý, vy lžete! Nelžete a dejte ruce vzhůru! Proč si inspektor Holmík a komisař Mulík myslí, že to nebyla sebeobrana, ale vražda? **120/12** Dej! – Dejte! Nlžij! – Nelžete! Podívej se! – Podívejte se! Neboj se! – Nebojte se! Otevři! – Otevřete! Jdi! – Jděte! Zavolej! – Zavolejte! Řekni! – Řekněte! **121/14** 1H, 2I, 3D, 4A, 5F, 6C, 7E, 8B, 9G **121/16** Češi často používají pro psy a kočky tahle jména: Puňťa – Puňťo, Micka – Micko, Fifinka – Fifinko, Alík – Alíku, Brita – Brito, Fík – Fíku, Baryk – Baryku, Mourek – Mourku, Ben – Bene, Max – Maxi, Rek – Reku, Kikina – Kikino, Macek – Macku **122/17** 1. Jakube 2. Milane 3. Ivane 4. Davide 5. Marku 6. tatínku 7. Lukáši 8. Tomáši 9. Aneto 10. Jarmilo 11. Jano 12. Lucie 13. Marie 14. Judy 15. Lori 16. Carmen

Poznámky